Léonard de Vinci

Dans la même collection

Peter Gay
MOZART

Mary Gordon
JEANNE D'ARC

Edna O'Brien
JAMES JOYCE

Jonathan Spence
MAO ZEDONG

Edmund White
MARCEL PROUST

À paraître

Nigel Nicolson
VIRGINIA WOOLF

Carol Shields
JANE AUSTEN

GRANDES FIGURES
Grandes signatures

SHERWIN B. NULAND

Léonard de Vinci

Traduction
de François Tétreau

FIDES

*La traduction française des ouvrages de cette collection
est dirigée par Chantal Bouchard.*

A Lipper/Penguin Book
Cet ouvrage est publié dans le cadre d'un accord des Éditions Fides
avec Lipper Publications et Viking Penguin.

Données de catalogage avant publication (Canada)

Nuland, Sherwin B.
Léonard de Vinci
(Collection Grandes figures, grandes signatures)
Traduction de : *Leonardo da Vinci*

ISBN 2-7621-2326-7

1. Léonard de Vinci, 1452-1519.
2. Sciences – Histoire – Jusqu'à 1500.
3. Artistes – Italie – Biographies.
4. Scientifiques – Italie – Biographies.
I. Titre. II Collection.

N6923.L33N8514 2002   709'.2   C2001-941600-8

First published in the United States under
the title *Leonardo da Vinci* by Sherwin B. Nuland.
© Sherwin B. Nuland, 2000
Published by arrangement with Lipper Publications L.L.C.
and Viking Penguin, a division of Penguin Putnam USA Inc.
All rights reserved

Dépôt légal : 1ᵉ trimestre 2002
Bibliothèque nationale du Québec
© Éditions Fides, 2002, pour la traduction française

Les Éditions Fides remercient le ministère du Patrimoine canadien du soutien qui
leur est accordé dans le cadre du Programme d'aide au développement de l'industrie
de l'édition.

Les Éditions Fides remercient également le Conseil des Arts du Canada et la Société
de développement des entreprises culturelles du Québec (SODEC).

Les Éditions Fides bénéficient du Programme de crédit d'impôt pour l'édition de
livres du Gouvernement du Québec, géré par la SODEC.

Imprimé au Canada

À mes deux Italiens:
Salvatore Mazza et mon frère, Vittorio Ferrero

CHAPITRE 1

Retrouver l'homme

Durant longtemps, ma passion pour Léonard de Vinci touchait presque à l'idolâtrie et après huit années, n'y tenant plus, j'ai entrepris un pèlerinage à sa maison natale. Du moins, sur les lieux de ce que je croyais être sa maison natale.

Nous étions en 1985, je me trouvais à Florence avec ma femme Sarah et, dès le lendemain de notre arrivée, sans nous poser de questions, nous décidons d'aller visiter le village de Vinci, où nous n'étions jamais allés, l'un et l'autre.

Nous nous rendons d'abord au Museo di Storia della Scienza pour obtenir des renseignements sur l'itinéraire à suivre — le musée était fermé. Une imposante porte de bois se dressait devant nous, je frappe et, contre toute attente, une femme l'entrebâille, qui m'écoute, puis va s'informer auprès du directeur. Quelques instants plus tard, elle revient vers nous, accompagnée de son patron et, en moins de temps qu'il n'en faut pour le dire, nous nous retrouvons, Sarah et moi, dans un train en direction d'Empoli, localité située à une douzaine de kilomètres de Florence. Là, nous montons dans un car qui nous mène à Vinci en peu de temps. Vinci est un village en tout point semblable à ceux de la région, rien ne le distingue, sinon qu'il abrite un petit musée où les visiteurs peuvent admirer des maquettes de diverses machines imaginées par Léonard. De grands panneaux indicateurs invitent les gens à se rendre à la Casa Natale du grand homme, à trois kilomètres à peine. Les panneaux n'indiquent pas qu'il s'agit de trois kilomètres sur une route escarpée, mais qu'à cela ne tienne, nous entreprenons l'escalade. Une fois là-haut, éreintés, nous avisons une grande demeure en pierre, vétuste, à l'évidence un vestige de la Renaissance. Voilà. Nous étions dans la place.

Curieusement, ni Sarah ni moi-même n'éprouvons la joie que nous pensions ressentir en arrivant. À l'intérieur de la maison, une vaste salle s'offrait à nos yeux, toute simple, dallée de pierre, avec une immense cheminée à l'une des extrémités. Une vieille dame vendait des cartes postales. Il n'y avait rien d'autre, aucun objet, pas la moindre présence spirituelle. Nous ne savions pas exactement ce que nous étions venus chercher là, mais, de toute évidence, cela ne s'y trouvait pas.

De rares visiteurs faisaient le tour de la salle, apparemment aussi déçus que nous. Je mimais l'enthousiasme, afin d'éveiller celui de Sarah, qui faisait de même pour m'encourager. En vain. Après toutes ces années vécues dans l'espoir de voir un jour la ville natale de mon idole, après tous ces efforts, les résultats se révélaient plutôt navrants. Il n'empêche. Même si ces murs austères ne nous disaient rien, nous étions chez lui, là où il était né. Aussi, nous ne voulions pas quitter les lieux tout de suite, nous raccrochant à l'espoir qu'un sentiment quelconque, une joie, nous pénétrerait l'un ou l'autre. Mais après vingt minutes de ce manège, force nous fut d'admettre que ce n'était point le cas et on se résolut à partir. Des touristes allemands proposent alors de nous ramener à Vinci dans leur Mercedes. Si un plaisir attendu nous avait portés au sommet de la colline, le retour se révéla un peu démoralisant. La région avait connu une sécheresse en 1984, les oliviers étaient nus, tout rabougris, les pelouses couleur de rouille et la terre craquelée, presque sablonneuse. Dans un contexte comme celui-là, il était difficile d'évoquer l'image du jeune Leonardo, tout blond, s'enivrant des beautés de la nature luxuriante ou caracolant dans la splendeur des champs mûrs.

Mais le pire restait à venir. Quelque temps plus tard, au fil de mes lectures et de mes conversations avec des amis italiens, je constate que personne ne sait où Léonard est né exactement. On suppose que ce n'est pas même à Vinci. Certains pensent qu'il a vu le jour à Anchiano, un village des environs, et que sa mère l'a emmené à Vinci quelques années ou, au mieux, quelques mois après sa naissance. En d'autres mots, nous avions peut-être vu sa maison natale, mais rien ne nous l'assurait. Et pour ajouter à l'incertitude, nous apprenions peu après que notre escapade au sommet de la colline nous avait éloignés de Vinci et menés à Anchiano, où les habitants considèrent la Casa Natale comme un bluff, un leurre, tout juste bon à berner des touristes.

Bref, il y avait peu de chances qu'on retrouve l'esprit de Léonard en cet endroit et, pour être exact, nulle part ailleurs. Car Léonard de Vinci n'était pas homme à se fixer ; il n'était pas non plus de ceux pour lesquels on érige des statues ou pour qui on aménage des places publiques. Il a traversé son époque comme un éclair, puis il a disparu, laissant derrière lui un ensemble d'ouvrages — considérable certes —, dont la majeure partie, à l'exception de sa peinture, ne sera reconnue à sa juste valeur que des siècles après sa mort et bien loin, il faut le dire, de cette demeure où vraisemblablement il n'était pas né. Ladislao Reti, éminent spécialiste du Vinci, reprenant un jour la fameuse phrase de Freud — « Il semblait un homme éveillé trop tôt dans les ténèbres, cependant que tous dormaient encore » —, ajoutait que nombre d'écrits rédigés par Léonard ont disparu dans les mêmes ténèbres. Et c'est la découverte relativement récente de certains de ses cahiers qui nous permet aujourd'hui de percer quelque peu l'énigme de son génie. Néanmoins il demeure, et restera toujours, « Léonard cet inconnu », comme Reti se plaît à le nommer.

Léonard de Vinci, homme d'idées, est insaisissable à bien des égards, mais par d'autres aspects il semble si proche de nous qu'on croit distinguer sa voix sans peine aucune. En vérité, on connaît bien davantage sa pensée, l'envergure de son esprit, que les péripéties de son existence ou les événements de sa vie. Encore que cette pensée se dérobe toujours un peu. Quelque chose nous échappe. Car s'il fut l'homme le plus obstinément curieux de toute l'histoire, pour reprendre l'heureuse formule de Kenneth Clark, il est aussi le personnage historique qui nous inspire le plus de curiosité.

Comme nous ne pouvons percer son mystère, sachons qu'il n'a su, lui non plus, déjouer tous les obstacles qui se dressaient sur sa route, ni réaliser chacun des objectifs qu'il se fixait dans son étude de la nature. Démuni en un sens, privé des instruments, des connaissances mathématiques et des méthodes expérimentales modernes, il lui arrivait de ne plus savoir quelle orientation donner à ses recherches pour accomplir son grand dessein, celui de réunir en un système cohérent tout le savoir sur la nature. Aussi s'engageait-il parfois dans plusieurs directions en même temps, et la grande question est de savoir comment il a pu réaliser ce qu'il a fait sans les instruments et les découvertes que les chercheurs modernes auront plus tard à leur disposition. On lui a souvent reproché, aujourd'hui comme en son temps, de ne pas terminer ce qu'il entreprenait. Mais comment pouvait-il en être autrement, du moins dans le domaine scientifique ? Son esprit pénétrant transcendait le savoir de son époque, et si Léonard avait eu sous la main tel appareil ou telle connaissance indispensable pour mener à bien telle expérience, il ne fait pas de doute qu'il aurait concrétisé ce que son génie se contentait parfois de concevoir ou d'imaginer. Kenneth Keele, le plus grand spécialiste des études anatomiques du Vinci, m'a fait parvenir un jour un extrait de lettre adressée à un ami commun, où il décrit les sentiments qu'il éprouvait en travaillant sur certains manuscrits de Léonard.

> À chaque page, je suis fasciné par l'intelligence de ses questions et de ses réponses. Mais souvent je me dis que, quelle que soit la force de l'intelligence, quelle que soit la finesse de l'intuition, il est fatal qu'en l'absence de certaines notions fondamentales les réponses comportent des erreurs. Et cela prête invariablement à mon récit un certain caractère mélancolique. Car plus je vois Léonard chercher à rompre les chaînes de l'ignorance, plus s'accroît ce sentiment. Certes il parvient à briser plusieurs de ces chaînes, mais jamais il ne s'en affranchit tout à fait. Aussi je me demande si nous-mêmes, en bien des domaines (sociologie, psychologie, thanatologie, par

exemple), ne sommes pas dans une situation similaire, également désolante, je me demande si nous ne traînons pas des chaînes d'autant plus redoutables et solides que nous les ignorons et ne les sentons même pas.

En effet. Nous n'avons nul moyen de connaître, et à plus forte raison de mesurer, les barrières qui nous empêchent de progresser dans des sphères comme la physique et l'astronomie, fondées essentiellement sur les mathématiques — sans parler de sciences plus obscures encore, comme celles auxquelles Keele fait allusion. Et s'il en est ainsi pour nous, comment Léonard aurait-il pu deviner que certains préjugés, propres à son époque, l'empêchaient d'arriver à ses fins ? À ses yeux, tout était possible et rien ne le contraignait. Un travail attentif, une application de chaque instant devaient venir à bout de tous les mystères et résoudre toutes les énigmes. « Dieu, écrit-il en citant Horace, nous livre tous les biens en échange d'un dur labeur. » Mais Léonard, tout comme Horace, se trompait sur ce point, et cela, non pas seulement parce que sa pensée devançait son époque de plusieurs siècles. Certes, elle la précédait, mais le Vinci n'en demeure pas moins un homme du xve siècle, c'est-à-dire un homme qui, sans s'en douter, avait intégré bon nombre de présupposés, lesquels faussent fatalement certaines de ses hypothèses. Il a beau le nier, chercher à s'en détacher, ne pas vouloir en tenir compte, il reste influencé, inconsciemment, par les théories de ses prédécesseurs et plus ou moins entravé par l'esprit de la Renaissance. On a beaucoup loué cet esprit de la Renaissance, sa liberté, son ouverture, mais parce qu'on les compare avec ce qui existait avant. En fait, il aurait fallu que Léonard vive au XVIIᵉ, voire au XXᵉ siècle. Non pas juste parce que l'esprit de ces époques lui eût été salutaire, mais parce qu'il avait réellement besoin, pour mener à bien ses recherches, de connaître certaines découvertes effectuées plus tard. Il aurait fallu qu'il sache que tel préjugé ancien se révèle sans fondement. D'où cette mélancolie, dont parle Keele, qui nous gagne en parcourant ses écrits. Force nous est de reconnaître que même un esprit aussi vaste que celui du Vinci ne peut se soustraire à certaines influences — et qu'il ne saurait en être autrement.

Pourtant, malgré ces influences, malgré ces chaînes inéluctables, Léonard est un moderne, un esprit moderne, et le premier de cet ordre aux yeux de la postérité. À l'instar de tout chercheur authentique et comme les plus grands savants, il se forme à l'étude de la nature, résolu de ne pas se laisser abuser par les idées du passé. Et si certaines d'entre elles, sans qu'il s'en doute, étayent parfois ses hypothèses, n'oublions jamais avec quelle objectivité, quel détachement, il abordait chacune de ses études. Dans ses écrits, Léonard fait rarement état des grands hommes de l'Antiquité. Avec vigueur, il lutte pour ne pas succomber aux tentations insidieuses que sa culture, ses lectures ou l'enseignement des Anciens lui font miroiter, et il résiste plus souvent qu'il ne cède. « Quiconque, écrit-il, invoque les auteurs dans une discussion fait usage non de son intelligence mais de sa mémoire. » En dernière analyse, il s'en remet uniquement à ce qu'il a vérifié. Les interprétations erronées qui se glissent dans ses écrits procèdent d'une tradition si profondément enracinée que même la pensée d'un génie de cette force n'y peut entièrement échapper.

Souvent, on dit de lui qu'il personnifie la Renaissance, mais cela n'est vrai qu'en partie. Car s'il incarnait l'enthousiasme pour la vie et la nature qui fut le propre et le sentiment premier de l'humanisme, il refusait aussi de se soumettre à la parole des Anciens que la Renaissance avait remise au goût du jour. « Personne ne doit imiter la manière d'autrui, car il [...] sera appelé petit-fils et non fils de la nature. Il importe de recourir à la nature plutôt qu'aux maîtres qui ont appris d'elle. » Léonard est le premier qui remit en question les enseignements d'Aristote, de Ptolémée et de Galien. Il se gardait de les considérer comme des vérités révélées. Le fait que ses références fondamentales renvoient à leurs écrits indique seulement qu'il était faillible, comme nous tous, et homme de son temps. En fait, les idées classiques auxquelles il ne pouvait se soustraire sont généralement la cause de ses erreurs les plus patentes ou de ses échecs scientifiques. Ses considérations sur l'astronomie, par exemple, se fondent pour l'essentiel sur le système

de Ptomélée et, en physiologie, sur celui de Galien. Il n'empêche. Quand son regard objectif décèle autre chose, lorsqu'il en vient à « goûter les infinis travaux de la nature », il
n'hésite pas à le dire et à critiquer les Anciens. C'est ainsi
que nous trouvons dans ses cahiers des considérations sur-
prenantes pour son époque, comme : « Le soleil est immobile. » Son but étant de remettre en question l'héritage
des Anciens et de rechercher la vérité que lui révèlent ses
propres expériences, il trace de nouvelles voies dans des
domaines que ses contemporains jugeaient définis une fois
pour toutes et bien avant eux.

Les études menées par Léonard de Vinci se fondent sur
la méthode expérimentale, une manière d'étudier la nature
qui, dit-on, ne fut pas employée avant le XVIIᵉ siècle. Cette
méthode expérimentale est la clé de voûte de la prétendue
révolution scientifique qui fait la renommée de ce siècle.
Mais c'est oublier que Léonard veillait déjà dans les ténèbres. S'il avait dormi deux siècles de plus, ses chaînes eussent été bien moins lourdes ; il aurait profité de techniques
et de connaissances autrement pointues que celles dont il
disposait. Qui peut douter alors qu'il aurait fait des découvertes aussi étonnantes, et plus fracassantes peut-être, que
celles de Kepler, Galilée, Harvey et même Newton ?

Voilà donc l'être qui m'a passionné toutes ces années et,
en particulier, l'anatomiste chez cet homme. La supériorité

de ses talents artistiques, la splendeur de ses peintures sont
célèbres dans le monde. Après tout, il vivait à une époque
où l'art faisait la fierté des princes comme des peuples.
Trente ans après sa mort, Giorgio Vasari, artiste lui-même,
écrivit une biographie des grands artistes italiens, dans
laquelle il donne une image inoubliable de Léonard, « être
admirable et céleste [...] Il serait allé très loin dans le savoir
et l'approfondissement de la culture s'il n'avait été si capri-
cieux et instable. Il entreprenait des recherches dans des
domaines différents et, une fois commencées, les abandon-
nait. » Ces mots, qui figurent dans l'édition de 1568 des *Vies
d'artistes* de Vasari, furent écrits bien avant qu'on soit en
mesure d'évaluer l'importance des réalisations scientifiques de Léonard. Comme tant d'autres personnalités de
son époque, Vasari estime que le Vinci aurait été plus pro-
lifique s'il n'avait perdu tant de temps à des expériences
scientifiques. Mais ce qui passait pour de l'instabilité était
en fait une irrépressible envie de retourner à ces études-là
justement, études dont Léonard était trop souvent détourné
par ses obligations artistiques, qui assuraient ses revenus.
Souvent, et durant de longues périodes, il manifestait carrément de l'agacement vis-à-vis de la peinture. Ainsi, dans
une lettre d'avril 1501, adressée à Isabelle d'Este, marquise
de Mantoue et protectrice impatiente, sinon intransi-
geante, fra Pietro di Novellara, vicaire général de l'ordre

des Carmélites, tente d'expliquer pourquoi tel portrait commandé depuis des lustres tarde à venir : « Ses recherches mathématiques l'ont tellement éloigné de la peinture qu'il est excédé par le pinceau. » Une pareille attitude était incompréhensible pour ses contemporains, sinon pour de rares collègues et protecteurs. Tout en s'émerveillant devant les études anatomiques de Léonard, Vasari pense que celui qui en a hérité, Francesco Melzi, les conserve « comme des reliques » ; il estime sans doute que leur valeur est purement sentimentale.

Aujourd'hui, bien sûr, nous en savons beaucoup plus que Vasari. Nous savons, par exemple, que Léonard se lance d'abord dans des études anatomiques pour parfaire son art pictural, puis que ces études deviennent progressivement une vraie passion, au point de constituer l'une des tâches principales auxquelles s'exercera son génie. Nous savons aussi qu'en ce domaine, comme en bien d'autres, il devance tellement ses contemporains que *lui-même* ne peut mesurer la portée de son travail ni savoir précisément dans quelle voie il s'engage. L'historien de la médecine Charles Singer écrit à ce propos : « Ses cahiers anatomiques [...] révèlent l'homme qu'il était, soit l'un des plus grands chercheurs en biologie de tous les temps. Dans un nombre incalculable de domaines, il était en avance de plusieurs siècles sur les hommes de son époque. » Enfin, nous savons ceci : plus on étudie les manuscrits du Florentin, plus on voit en lui non pas tant un artiste extraordinaire, mais un homme de sciences dont les aptitudes en art et en génie — les commandes qu'il honorait aussi — entretenaient sa passion pour la nature.

Ma fascination pour cet être exceptionnel ne repose pas uniquement sur ses travaux d'anatomie mais aussi sur son aspect d'homme insaisissable. L'escalade qui m'a mené au sommet de la colline de Vinci, à moins que ce ne soit celle d'Anchiano, où je n'ai recueilli que des incertitudes, est en un sens assez métaphorique. Elle illustre bien le problème auquel font face, non seulement les exégètes du Vinci, mais tous ceux d'entre nous qui tentent, non sans effort, de saisir l'homme qu'il était véritablement. Les dates que nous connaissons, les faits, les événements de sa vie, sont trop rares pour que nous puissions comprendre comment un homme de cette trempe a pu voir le jour à cette époque. Le mystère du sourire de *La Joconde* est égal à celui qui voile l'incroyable force vitale de son créateur. Mais peut-être ce sourire est-il l'ultime message que Léonard entendait laisser à la postérité, message qui s'énoncerait à peu près en ces termes : il est bien d'autres choses me concernant que vous ne saisirez jamais. Même si je me suis entretenu avec vous, dans mes cahiers, en toute intimité, et comme je l'aurais fait avec moi-même, je garde, dans les méandres de mon esprit et dans la source insondable qui m'a nourri, mes ultimes intentions. Cherchez tant que vous voudrez, notre conversation s'achève ici. Le reste se dérobe, car c'était mon destin que de savoir des choses que vous ne connaîtrez jamais.

CHAPITRE 2

Les premières années
1452-1482
De la naissance à 30 ans

AU DÉBUT DU PRINTEMPS DE 1452, un propriétaire terrien aisé, octogénaire, inscrit quelques mots dans un registre à propos d'un événement qui vient de survenir au sein de sa famille. « Il m'est né un petit-fils, fils de ser Piero, mon fils, le 15 avril, un samedi, à trois heures de la nuit. Il porte le nom de Lionardo. » Suivent le nom du prêtre qui a baptisé l'enfant et ceux de dix personnes présentes à la cérémonie. La manière de calculer les heures ayant changé depuis le XVᵉ siècle, cette naissance eut lieu à 22 h 30.

Ce vieillard, Antonio da Vinci, avait exercé toute sa vie la profession de notaire, non sans succès, comme l'avaient fait son père, son grand-père, son arrière-grand-père avant lui, et comme la pratiquait son fils, ser Piero da Vinci. Il n'est donc pas surprenant qu'il ait eu le réflexe de noter les événements marquants qui se produisaient autour de lui. Grâce à cette heureuse habitude, nous avons l'une des rares preuves irréfutables, relatives aux 30 premières années d'un homme considéré par certains comme « le plus grand génie que le monde ait connu ». Le génie de Léonard de Vinci ne tient pas seulement à la qualité de ses talents ou à la profondeur de ses intuitions, il se distingue aussi par le nombre formidable de domaines dans lesquels l'artiste l'a exercé. Léonard abordait chacun de ces domaines avec l'enthousiasme du dilettante et les aptitudes d'un maître, que ce soit la peinture, l'architecture, la décoration inté-rieure, le génie civil ou militaire, les mathématiques, l'astro-nomie, l'artillerie, l'étude du vol des oiseaux, la navigation aérienne, l'optométrie, la géologie, la botanique, la canali-sation des fleuves, l'assèchement des marais, l'urbanisme et, enfin, le domaine auquel le présent ouvrage s'intéresse au premier chef, l'anatomie et l'étude du fonctionnement des diverses parties du corps humain.

On sait que Lionardo — ou Léonard — fut un enfant de l'amour, euphémisme commode par lequel on désigne habituellement une grande passion, mais qui, dans le cas qui nous occupe, sous-entend davantage la volupté que l'amour proprement dit. La mère de Léonard était une jeune fille du village ou habitait une localité des environs.

On ignore à peu près tout d'elle, si ce n'est son prénom, Caterina, et le fait qu'elle épousera plus tard un certain Accattabriga di Piero, de Vinci lui aussi, inscrit comme son époux dans les registres du fisc de 1457, alors qu'ils vivent ensemble à Anchiano, sur une terre appartenant à la famille de ser Piero. Comme on l'a vu plus haut, certains pensent que l'enfant est né à Anchiano, d'autres soutiennent que c'était bien à Vinci, une sommité allègue même avoir repéré l'endroit précis, soit « une maison au pied de la forteresse dominant le bourg de Vinci et tournée vers l'est ». Compte tenu de toutes ces imprécisions, qui affirmerait de manière catégorique que le grand événement n'a pas eu lieu dans les ruines que nous avons visitées, Sarah et moi, en 1985 ?

On ne sait rien des rapports de Caterina avec son fils. Il est possible, comme c'était la coutume à l'époque, qu'elle l'ait allaité toute la première année. Toutefois, le nom de Léonard figure dans la déclaration de revenus d'Antonio datée de 1457, document que nous possédons toujours, et où le jeune garçon est désigné comme personne à charge et enfant illégitime de cinq ans vivant dans la maison. À partir de cette donnée toute simple, on a beaucoup supputé...

L'un des spécialistes les plus renommés, Edward McCurdy affirmait en 1928, dans un ouvrage qui fait autorité et intitulé *L'esprit de Léonard*, que non seulement le peintre est né à Anchiano, mais qu'il y a vécu la majeure partie de son enfance, supposant ainsi, comme d'autres l'ont fait, que le petit Léonard serait resté chez sa mère biologique jusqu'en 1457, soit peu de temps avant qu'Antonio ne l'inscrive dans sa déclaration fiscale. Ce n'est rien de plus qu'une hypothèse, mais Sigmund Freud la retient dès 1910, dans sa légendaire monographie (pour ne pas dire davantage), qui établit des rapports étroits entre la libido de l'artiste, son homosexualité présumée, et leur impact sur ses réalisations. Kenneth Keele se range également à cet avis. D'autres biographes, en revanche, préfèrent esquiver la question ou se bornent à l'effleurer, comme l'historien des sciences Ivor Hart, qui, après avoir étudié la vie du personnage durant 40 ans, conclut en 1961 que « Léonard fut accepté dans la famille [de ser Piero] quelques années après sa naissance ».

Peu de temps après la naissance de son premier fils, ser Piero, âgé de 25 ans, épouse une jeune fille de bonne famille, Albiera di Giovanni Amadori, qui ne lui donnera aucun enfant. Certains biographes supposent qu'après avoir vécu cinq ans sans progéniture, ser Piero et sa femme — frustrés — prennent le petit Léonard chez eux, à Vinci, et que la douce Albiera le traite comme son propre fils. Si on s'en tient à cette version des faits, Léonard aurait été, durant les années les plus formatrices de son développement, l'enfant unique et adoré de Caterina, femme entièrement dévouée à lui et qui avait peut-être tendance à le surprotéger. En supposant que cette interprétation soit juste, il aurait donc vécu les cinq premières années de sa vie sans voir son père, ou peu s'en faut.

Bien entendu, rien ne prouve que tout cela soit exact. L'enfant peut fort bien avoir été rendu à son père lorsque Caterina s'est mariée. Ou encore elle l'a peut-être confié à ser Piero juste après le sevrage. Il y a tant de « peut-être » ici que n'importe quelle interprétation vaut une autre. Pour Freud, le fait que Léonard a passé cinq ans seul avec sa mère célibataire explique son homosexualité ; aussi fonde-t-il sa théorie sur cette hypothèse. D'après lui, le garçon est devenu le seul objet de l'attachement érotique de la mère, lien qu'un enfant partage habituellement avec son père ; cet attachement serait d'autant plus vif ici que l'enfant en était l'unique objet. Voici comment Freud expose son point de vue dans la monographie intitulée *Un souvenir d'enfance de Léonard de Vinci* :

> Chez tous nos homosexuels hommes, nous avons retrouvé, dans la toute première enfance, période oubliée ensuite par le sujet, un très intense attachement érotique à une femme, à la mère généralement, attachement provoqué ou favorisé par la tendresse excessive de la mère, ensuite renforcé par un effacement du père de la vie de l'enfant. [...] L'amour pour la mère ne peut pas suivre le cours du développement conscient ultérieur [car cet amour est trop menaçant pour l'enfant] et tombe sous le coup du refoulement. Le petit garçon refoule son amour pour sa mère, en se mettant lui-même à sa place,

en s'identifiant à elle, et il prend alors sa propre personne comme l'idéal à la ressemblance duquel il choisit ses nouveaux objets d'amour. Il est ainsi devenu homosexuel, mieux, il est retourné à l'autoérotisme, les garçons, que le garçon grandissant aime désormais, n'étant que des personnes substituées et des éditions nouvelles de sa propre personne enfantine. Et il les aime à la façon dont sa mère l'aima enfant. Nous disons alors qu'il choisit les objets de ses amours suivant le mode du narcissisme, d'après la légende grecque du jeune Narcisse à qui rien ne plaisait autant que sa propre image reflétée dans l'eau, et qui fut métamorphosé en la belle fleur du même nom.

Bien que d'autres facteurs biologiques ou conjoncturels puissent contribuer au développement de l'homosexualité chez les garçons (Freud reconnaît d'ailleurs que le processus qu'il décrit n'en est peut-être qu'un parmi d'autres; il parle notamment de l'apport de facteurs constitutionnels inconnus, mais qu'on estime aujourd'hui d'ordre génétique), la théorie psychanalytique a longtemps affirmé qu'une mère surprotectrice et un père absent peuvent avoir une influence non négligeable sur le développement psychologique de certains homosexuels. Même si cette théorie est battue en brèche depuis quelques années, de très nombreux membres de la communauté psychiatrique et psychanalytique l'estiment toujours solide.

Les biographes qui évoquent le sujet expriment peu de doutes sur l'homosexualité de Léonard de Vinci. En tout cas, c'était l'opinion de Kenneth Clark, qui l'exposa sans détour lors des conférences Ryerson, prononcées à l'École des Beaux-Arts de Yale, en 1936. Certes, Clark n'échappe pas à certains préjugés propres à son époque, mais l'essentiel de sa thèse mérite de retenir notre attention. « À mon avis, écrit-il, la preuve de l'homosexualité de Léonard apparaît en filigrane dans une grande partie de son œuvre ; elle s'illustre à travers ses personnages androgynes et cette sorte de langueur qui caractérise les formes, ce que tout observateur sensible peut voir et interpréter à sa manière. On le décèle aussi dans un certain nombre de faits qu'il serait difficile d'expliquer autrement ; l'élégance de Léonard, par exemple, sa manière de se vêtir, sa réserve, ce besoin de s'entourer de mystère, enfin l'absence presque complète, dans ses volumineux écrits, de références à la femme. » Clark aurait pu ajouter l'attrait du maître pour les beaux garçons et les jeunes hommes qu'il prenait comme apprentis ou serviteurs, ce qui est attesté à maintes reprises par des contemporains suffisamment proches pour qu'on leur prête foi. De telles preuves sont, bien sûr, circonstancielles, mais il en existe un grand nombre et peu de faits viennent les contredire.

Rien ne nous indique par ailleurs que Léonard de Vinci ait été sexuellement actif, si on se fie à ses manuscrits et au témoignage de ceux qui ont laissé des souvenirs à son sujet. Freud affirme pour sa part que Léonard est l'un des rares

individus dont « la libido se soustrait au refoulement, elle
se sublime dès l'origine en curiosité intellectuelle et vient
renforcer l'instinct d'investigation déjà par lui-même puis-
sant [lequel, autrement, prendrait la forme d'une curiosité
sexuelle]. La recherche devient, ici encore, dans une certaine mesure, obsession et "ersatz" de l'activité sexuelle [...]
l'assujettissement aux complexes primitifs de l'investigation sexuelle infantile fait défaut, et l'instinct peut libre-
ment se consacrer au service actif des intérêts intellectuels.
Mais le refoulement sexuel qui, par l'apport de libido
sublimée, les avait faits si forts, les marque encore de son
empreinte, en leur faisant éviter les sujets sexuels. »

Voilà donc en quelques phrases comment le père de la
psychanalyse expliquait le génie du Vinci et pourquoi,
d'après lui, ce génie s'exerçait en de si vastes domaines.
Autrement dit, l'inhibition sexuelle provoquait chez Léonard un phénomène de sublimation, qui stimulait sa
curiosité intellectuelle et son instinct d'investigation.
Chez lui, toute l'énergie de la libido, qui se porte d'ordinaire sur tel ou tel objet d'amour, était entièrement
orientée vers son œuvre. Chacun de nous, bien sûr, qu'il
soit hétérosexuel ou homosexuel, sublime plus ou moins
sa libido, mais pour Freud, la sublimation canalisait toute
la libido de Léonard. D'ailleurs, le Vinci lui-même en
avait peut-être l'intuition. Dans l'un de ses volumes que
les spécialistes ont réuni sous le titre de *Codex Atlanticus*,

on peut lire le commentaire suivant : « La passion intellectuelle chasse la sensualité. »

On a beaucoup critiqué la théorie de Freud, au point
que certains l'ont carrément rejetée au cours des dernières décennies, à mesure que le prestige du maître viennois
déclinait dans l'opinion. Pourtant, le principe selon lequel
il existe un lien entre inhibition sexuelle et sublimation
est tellement reconnu — admis —, qu'on a du mal à comprendre pareille opposition. Il est vrai que Freud commet
une erreur flagrante et s'égare en analysant un souvenir
d'enfance relaté par Léonard. Il retient une mauvaise traduction, qui confondait les mots « milan » et « vautour »,
ce qui le lance sur une fausse piste mythologique, où il
voit la preuve que le fils d'une mère surprotectrice et d'un
père absent connaît des fantasmes de fellation. En vérité,
la note de Léonard se lit comme suit : « Je parais donc
avoir été destiné à écrire de manière si approfondie au
sujet du milan car, dans un de mes premiers souvenirs
d'enfance, il me semble que, lorsque j'étais au berceau, un
milan vint et m'ouvrit la bouche de sa queue, et me
frappa avec cette queue à maintes reprises à l'intérieur sur
les lèvres. » Freud, estimant qu'il s'agit plus vraisemblablement d'un fantasme que d'un souvenir, et brodant sur
l'image du vautour dans certaines mythologies anciennes,
se convainc à tort que Léonard a été élevé comme il le
suppose.

Malgré cela, on peut quand même interpréter le souvenir d'enfance comme un fantasme de fellation, même s'il n'est pas de nature à étayer davantage l'argument de Freud. De plus, il est probable que Léonard de Vinci ait été homosexuel. Enfin, rien ne prouve qu'il ait été sexuellement actif. On se contentera donc d'avancer qu'il était un homosexuel qui réprimait ses pulsions libidinales, puis qu'il les sublimait en étudiant et en réalisant un grand nombre de choses. Si on écarte de cette équation l'hypothèse de Freud, si souvent critiquée, on se retrouve néanmoins avec une explication vraisemblable du génie de Léonard. La sublimation, conjuguée à une intelligence supérieure, concourt à créer, d'une part, une image du Vinci analogue à celle que la légende freudienne a idéalisée et, d'autre part, une image sans doute proche de la réalité.

Mais que doit-on penser des cinq premières années de l'enfant ou, du moins, de ses rapports avec Caterina ? Si on admet, comme d'autres l'ont fait malgré les objections de certains analystes « plus modernes », si on retient la thèse selon laquelle l'orientation sexuelle de certains hommes peut découler du phénomène décrit par Freud, on supposera que Léonard peut fort bien avoir été un homosexuel comme eux. Et s'il l'était, l'endroit où il a vécu ses premières années ne change pas grand-chose à l'histoire. Que ce soit à Vinci ou à Anchiano, on peut affirmer, sans forcer le trait, qu'il a connu avec sa mère ou avec Albiera — femme sans enfant et dont l'affection était peut-être égale à celle de Caterina — le type de rapports mère-fils, père absent, que tant de psychologues et psychanalystes, depuis si longtemps, estiment effectifs dans la psyché de certains homosexuels.

Mais ceci ne constitue pas une preuve en soi. Dans une hypothèse, dès lors qu'il subsiste des *si* et des *peut-être*, affaiblis encore par des mots comme *doute raisonnable*, ou *vraisemblablement*, on reste dans le champ des suppositions fondées sur de maigres assurances. À ce titre, l'hypothèse en question s'accorde parfaitement avec le mystère qui entoure le Vinci et ses réalisations. Depuis Vasari, un grand nombre de suppositions et de faits reconnus pour certains se fondent sur des preuves historiques bien ténues, si ténues en vérité que la plupart d'entre nous en exigeraient de plus solides avant de se prononcer sur n'importe quel autre personnage. Dans un essai sur Léonard publié en 1869, le critique anglais Walter Pater avance une raison pour expliquer cet état de choses et dire pourquoi il en a toujours été ainsi avec le grand peintre. « On dirait, écrit-il, qu'une espèce de sort pèse sur la personnalité de Léonard. Toujours on emploie le mot de fascination pour le décrire. » Or c'est bien cette fascination, plus grande que celle que nous éprouvons à l'endroit de n'importe quel autre personnage historique ou moderne, qui nous incite à recourir à l'intuition, aux sentiments, voire à l'imagination, quand vient le moment d'établir une hypothèse visant à comprendre le plus insaisissable des hommes. De fait, en cherchant à l'expliquer, nous nous analysons nous-mêmes, et tentons de percer nos énigmes les plus secrètes. Léonard nous tient sous son charme et je le soupçonne parfois d'avoir fait en sorte qu'il en soit ainsi.

Compte tenu de cette fascination, partagée par la majorité des spécialistes du grand Florentin, y compris les plus brillants d'entre eux, on me pardonnera, je l'espère, de soutenir une hypothèse pas plus improbable que tant d'autres théories exposées dans ce qu'il est convenu d'appeler les études léonardiennes. Je demande simplement, comme c'était sans doute le vœu de Freud, que mes suppositions relatives aux origines de l'homosexualité de Léonard ne soient pas écartées d'emblée, mais prises en compte et examinées pour ce qu'elles valent tout au long de la biographie qu'on va lire.

Jusqu'à l'âge de 15 ans environ, Léonard fut élevé pour l'essentiel par Albiera et la belle-mère de celle-ci, monna Lucia, qui avait 59 ans à la naissance du garçon. Il est possible que ce dernier ait eu, à l'occasion, des précepteurs qui lui ont enseigné le calcul et le latin, mais on ignore quelle éducation il a reçue exactement. Une instruction déficiente au départ pourrait expliquer, en partie, qu'il n'ait jamais maîtrisé le grec et le latin ; toutefois il ne paraît pas qu'il ait fait, à l'âge adulte, des efforts considérables pour les mieux apprendre, même s'il se frottait au latin de temps à autre. Il semble que Léonard ait pris connaissance de certains des grands auteurs grecs, latins et arabes dans des traductions en italien, et grâce aux conversations qu'il a eues avec des collègues plus instruits. À cet égard, sur le strict plan des études classiques, Léonard était, comme le décrivaient certains contemporains, un « illettré ».

Cette condition présente toutefois certains avantages. L'historien des sciences George Sarton écrit à ce propos : « Ainsi, Léonard ne portait pas le poids contraignant de l'enseignement creux et de cette maïeutique qui s'étaient développés comme un chancre sur les décombres de l'enseignement des Anciens et qui constituaient un obstacle à l'éclosion d'une pensée vraiment originale. »

Alors que Léonard avait entre 15 et 18 ans, ser Piero, le père, qui s'était installé à Florence avec sa famille sans abandonner sa propriété de Vinci, aurait montré des dessins de son fils (et peut-être aussi des objets sculptés par lui, de même que des figurines en argile) à l'un des principaux artistes de la ville, Andrea di Cione, qu'on surnommait Verrocchio (le Bon Œil), âgé d'une trentaine d'années. Frappé par le talent et les dispositions du jeune homme, Verrocchio le prend comme apprenti. C'est là un heureux concours de circonstances, car l'atelier de Verrocchio jouissait alors d'un certain prestige et les commandes de toute sorte affluaient chez lui. Verrocchio, sculpteur avant que d'être peintre, était aussi un dessinateur très en vue, on dirait aujourd'hui un designer ; il fabriquait des objets en métal, concevait des bijoux, des ornements profanes ou religieux, des pièces décoratives, et confectionnait des instruments de musique. Ses champs d'activités étant fort nombreux, ses élèves bénéficiaient d'une certaine liberté de manœuvre et s'initiaient aux arts les plus divers. Ils exécutaient les commandes sous la supervision de leur maître et fabriquaient des ouvrages en argent, en marbre, en bronze, en bois, des casques d'apparat, des cloches et des canons. Il y a lieu de croire que, dans un contexte comme celui-là, les talents d'un jeune homme doué, comme Léonard, vont s'épanouir.

Ce fut le cas. Et pas juste sur le plan artistique. Certes Léonard développe ses dons et il élargit sa palette, mais sa personnalité s'épanouit si bien, elle aussi, qu'il devient bientôt évident que le nouvel apprenti de Verrocchio est de ces êtres qui, pour reprendre la formule de Vasari, sont « doués par Dieu de tant de grâces ». Vasari n'est pas le seul à s'exprimer de la sorte ; dans leurs écrits, d'autres contemporains évoquent la beauté du jeune homme, sa force physique, sa grâce et son élégance naturelle, ses talents de chanteur s'accompagnant à la lyre, et certains traits de caractère qui charmaient ses proches comme les étrangers. Parmi ces traits, on fait souvent état d'une humeur égale, d'une remarquable sérénité, que Léonard conservera toute sa vie, d'une attitude affable et chaleureuse. Plusieurs anecdotes — assez nombreuses et substantielles pour qu'on prête foi à leurs auteurs — décrivent Léonard en promenade dans les rues de Florence, portant des vêtements colorés, des manteaux plus courts que ne le veut la coutume, et achetant à l'occasion un oiseau en cage pour aussitôt le libérer, ce qui, notent certains, illustre la liberté de son esprit et l'amour qu'il a pour la vie sous toutes ses formes. Jeune donc, Léonard était beau. Il possède des qualités intellectuelles et de cœur qui font de lui, au fil des années passées à Florence, un homme aux talents exceptionnels, de commerce agréable, ayant cet air de sérénité que confère l'assurance. Ce qui ne l'empêche pas d'éprouver de temps à autre de l'inquiétude, ou même de la peur. Dans un carnet rédigé à l'époque, on trouve la description curieuse de l'une de ses escapades en solitaire dans les collines près de Florence.

> Ayant cheminé sur une certaine distance entre des rocs surplombants, j'arrivai à l'entrée d'une grande caverne et m'y arrêtai un moment, frappé de stupeur, car je ne m'étais pas douté de son existence ; le dos arqué, la main gauche étreignant mon genou, tandis que de la droite j'ombrageais mes sourcils abaissés et froncés, je me penchais longuement, d'un côté, de l'autre, pour voir si je ne pouvais rien distinguer à l'intérieur, malgré l'intensité des ténèbres qui y régnaient ; après être resté ainsi un moment, deux émotions s'éveillèrent soudain en moi : peur et désir ; peur de la sombre caverne menaçante, désir de voir si elle recelait quelque merveille.

On peut déduire plusieurs choses de ce bref souvenir qui allait aboutir — ce n'est pas négligeable — à la découverte d'un grand poisson fossilisé à l'intérieur de la caverne, découverte que Léonard n'eût pas faite, bien sûr, si son désir n'avait été plus fort que sa frayeur. Après tout, ce n'est guère surprenant. Voilà un jeune homme captivé par toutes les beautés qui s'offrent à lui, mais qui, néanmoins, dessine à la même époque une suite de croquis représentant les gens aux visages étranges, parfois grotesques, qu'il suit dans les rues, attiré, semble-t-il, par des ridicules de physionomie qui le repoussent tout en même temps. Cherchant à comprendre la signification de cette « foule de personnages grotesques croqués par lui », Walter Pater en a peut-être percé le mystère plus qu'il ne s'en doutait lui-même, en notant ceci : « Un mélange de dégoût et de ravissement, né du spectacle de la laideur et de la beauté, se forma dans l'esprit de ce jeune homme gracieux, prit la forme d'une image tangible, et si prenante, qu'elle ne le quitta de sa vie. » Dans le même ordre d'idées, Pater ajoute : « Ce qu'on pourrait appeler une fascination sous-jacente pour la corruption affleure, puis imprègne la beauté exquise et parfaite que crée chaque touche de son pinceau. »

De l'expédition dans la caverne, nous pouvons encore retenir la chose suivante. Léonard y fait la première d'une série de découvertes qui vont peu à peu le convaincre (plusieurs siècles avant les études de Lyell et de Darwin) que la terre et les organismes vivants sont beaucoup plus anciens que ne l'enseignait l'Église et qu'ils se transforment sans cesse. Bien entendu, nous ressentons tous, à des degrés divers, ce désir et cette frayeur qui rivalisent en nous comme des pôles d'attraction, mais quand on y réfléchit bien, on constate que cette attraction contraire est si forte chez Léonard, si intense, qu'elle oriente le cours de ses réflexions les plus cruciales, au premier rang desquelles j'entends placer ses études anatomiques.

Les autopsies que Léonard pratique au cours des années qui vont suivre ont lieu dans des conditions pour le moins angoissantes. Non seulement notre homme doit surmonter la répulsion naturelle que lui inspirent les cadavres, mais il lui faut affronter aussi un problème de taille. Il était impossible, à l'époque, de retarder le travail de la mort. De sorte que Léonard se penche sur des cadavres dont la décomposition a commencé bien avant qu'il ne saisisse son couteau. Mais comme toujours, sa curiosité l'emporte sur ses craintes. Il est certain, en tout cas, que des considérations de cet ordre le préoccupaient, comme le prouve cette mise en garde à l'endroit des futurs anatomistes.

> Si tu as l'amour de cette chose, tu en seras peut-être empêché par un dégoût de l'estomac ; et si cela ne t'en détourne pas, peut-être craindras-tu de veiller la nuit en compagnie de cadavres tailladés, lacérés, horribles à voir.

Nombre de spécialistes du Vinci font remarquer que de telles observations ont souvent, dans ses écrits, le ton de conversations qu'il a avec lui-même. Peut-être parlait-il ici de ses propres angoisses. Quoi qu'il en soit, il est intéressant de noter que Léonard éprouve le besoin de parler ouvertement du dégoût, de la peur, et de mêler pareilles considérations à des travaux scientifiques, ce qu'on aurait du mal à trouver dans les écrits d'autres anatomistes, de quelque époque qu'ils soient, et bien qu'à n'en point douter ils aient éprouvé les mêmes sentiments.

Les premières observations anatomiques ont lieu dans le vieil Hôpital de Santa Maria Nuova, à Florence (hôpital fondé en 1255 par Folco Portinari, le père de la Béatrice de Dante), et à l'instigation de Verrocchio lui-même, qui recommandait vivement à ses élèves d'étudier le réseau des muscles sous l'épiderme afin d'améliorer leur dessin. À cette époque, il n'était plus interdit, comme autrefois, de disséquer le corps humain et on pratiquait à l'occasion des « anatomies », comme on disait alors, à des fins de recherche ou de formation. Si Léonard a commencé à disséquer des corps pour parfaire son art, cette activité a progressivement pris chez lui un caractère plus scientifique. Comme aucun document ne prouve le contraire, on peut affirmer sans crainte de se tromper qu'il fut le premier artiste à explorer le corps humain en profondeur. En fait, il est peut-être le premier individu qui ait tenté de

décrire les organes internes avec une précision anatomique. Les manuels de médecine de l'époque, ou antérieurs,
montraient les viscères sous une forme schématique,
voire symbolique. Avant longtemps, Léonard s'intéressera
à la dissection à d'autres fins que la seule peinture. Il veut
percer les mystères du corps et savoir comment il fonctionne. Il étudie la nature même de l'homme.

Mais durant ces années à Florence, d'autres disciplines
attirent un jeune homme dont l'insatiable curiosité cherche
sans cesse de nouveaux défis à relever. Léonard constate
bientôt — ceci avec plus d'acuité que ses contemporains
—, qu'un excellent peintre doit maîtriser la perspective,
savoir jouer des ombres, de la lumière, et comprendre de
quelle façon l'œil perçoit les objets. Par ailleurs, Léonard lit
énormément. Puisque sa connaissance du latin demeure
fragmentaire, il est à peu près certain qu'il lit alors des
ouvrages traduits en italien. Il étudie la géométrie, la physique, le vol des oiseaux, la biologie animale et végétale,
l'optique, le génie militaire, l'hydraulique, l'architecture ; il
commence à voir l'art d'un point de vue qu'on peut qua-
lifier de scientifique. L'inverse est également vrai. Il porte
sur les sciences le regard d'un artiste. Lui-même, en fait,
qui devance ses contemporains de plusieurs siècles, ne peut
mesurer sur-le-champ à quel point la méthode qu'il a
découverte est enrichissante.

On sait peu de chose, avec certitude, sur les activités artistiques de Léonard durant cette première période florentine, car il ne laisse aucune œuvre achevée. C'est à peine s'il reste des traces de son travail d'apprenti chez Verrocchio, ou de rares études incomplètes, entreprises pendant la période de six ans qui va de la fin de son apprentissage à son départ pour Milan, en 1482. Il ne fait aucun doute cependant qu'il a mis la main à certaines peintures sorties des ateliers de son professeur. Peu de temps après qu'il a obtenu le titre de maître, les moines du couvent de San Donato, à Scopeto, lui commandent un grand retable, dont le sujet est l'adoration des rois mages. Léonard ne l'achèvera jamais ; l'œuvre se trouve aujourd'hui aux Offices, à Florence. Un autre retable, commandé celui-là par le corps législatif de la ville pour la chapelle de la Seigneurie, demeurera sous forme d'esquisses. Il semble que l'artiste ne l'ait pas même commencé. Comme le fait remarquer McCurdy, on a beau connaître assez bien l'évolution de la pensée de Léonard durant son premier séjour à Florence, on trouve peu de traces, dans les registres municipaux, de ce qu'il a réalisé véritablement ; on ignore à peu près tout de son existence, même son mode de vie.

Au cours de ces années, Florence est dirigée par les Médicis, une famille de nobles qui savent fort bien conserver le pouvoir, encouragent la délation et invitent les citoyens à dénoncer la moindre incartade commise par

leurs voisins. C'est ainsi que Léonard et trois de ses compagnons sont accusés, en 1476, de sodomie sur la personne
de Jacopo Saltarelli, un jeune homme de 17 ans, bien connu
pour pratiquer la prostitution. Mais après deux audiences,
on abandonne les poursuites, en juin de la même année,
faute de preuves. Que doit-on déduire de cela ? Faut-il voir
une coïncidence dans le fait que cette accusation survient
l'année même où ser Piero devient père une nouvelle fois,
avec sa troisième épouse, après deux mariages sans enfant ?
(Notons qu'il aura par la suite dix autres enfants.) À 24 ans,
Léonard n'est plus fils unique. La naissance d'un héritier
— légitime celui-là — l'aurait-elle poussé à commettre des
imprudences ?

La réponse à cette question repose, en partie, sur la
culpabilité du suspect, or tous les biographes s'entendent
pour rejeter cette hypothèse, du moins ils doutent fort que
l'artiste ait été coupable de quoi que ce soit. Dans tous les
documents relatifs au Vinci, c'est la seule allusion à une
activité sexuelle quelconque, et ceux qui ont passé leur vie
à étudier l'existence du maître affirment que cette accusation était sans fondement. Selon toute vraisemblance,
racontars, malveillance et ragots sont à l'origine de la pour-
suite, mais on ne peut résister à l'envie de se poser des
questions. Qu'est-ce que ces jeunes gens ont bien pu
faire pour s'attirer pareille calomnie, même s'ils étaient
innocents ? Et pourquoi, semble-t-il, l'apprentissage chez

Verrocchio prend fin justement cette année-là? Précisons toutefois que les deux hommes demeurent bons amis et que Léonard continue probablement à vivre chez son ancien professeur, comme artiste indépendant, jusqu'à son départ pour Milan. En fait, tout porte à croire que la conjonction de ces événements relève du hasard — et pourtant! Voilà bien le genre de questions que soulèvent ceux qui tentent de percer les mystères d'un être énigmatique, né il y a plus de 500 ans. Mais les réponses qu'ils apportent sont trop minces pour qu'on s'y attarde, pour qu'on les soupèse même.

Jeune, Léonard était déjà moraliste, nous n'avons donc aucune raison de mettre en doute sa franchise, lorsqu'il laisse entendre qu'il n'a aucune activité sexuelle, que ce soit le fait d'une inhibition inconsciente, comme l'affirme Freud, ou celui d'une décision prise de plein gré. Les mots qu'on va lire sont-ils d'un homme sur lequel les tentations de la chair n'ont aucune prise, ou ceux d'un être qui, résistant si fort à ses instincts, prend toujours garde de succomber? Impossible de répondre à cela.

> Celui qui ne réfrène pas ses désirs de luxure se met lui-même au niveau de la bête. On ne peut avoir ni moindre ni plus grande seigneurie que la seigneurie de soi-même. [...] Il est plus facile de résister au début qu'à la fin.

Ces phrases, comme tant d'autres propos ou anecdotes tirés de la légende léonardienne, peuvent être interprétés de multiples façons pour étayer n'importe quelle thèse ou n'importe quelle idée préconçue. Elles n'en contribuent pas moins à forger l'image d'un homme qui, consciemment ou pas, réprime sa sexualité.

Parmi ces préjugés, il en est un selon lequel Léonard vivait dans sa bulle, totalement détaché du monde. Certains pensent en effet que seuls son art et ses études scientifiques avaient de l'importance à ses yeux. Cela est juste dans une large mesure, mais pour réaliser ses objectifs, il doit obtenir le soutien de protecteurs puissants et il n'hésite jamais à faire ce qu'il faut pour se les attacher. Ainsi, tout au long de sa vie, Léonard prend des décisions pragmatiques en fonction de la situation politique toujours changeante, dans un pays où les Médicis, les Sforza et les Borgia luttent sans cesse, qui pour conserver le pouvoir, qui pour le reprendre, et où plane sans répit la menace d'invasions étrangères. Léonard prend la première de ces décisions pragmatiques à 29 ans, au cours de l'année 1481, alors qu'il travaille comme artiste indépendant à Florence.

Au début de cette année, il adresse à Ludovico Sforza, dit Ludovic le More, qui dirige le duché de Milan, une lettre qui est en somme une offre de services. Chacun sait alors que deux questions préoccupent Ludovic, et l'artiste veut tirer le meilleur parti de chacune d'elles. La première de ces questions, la plus grave également, réside dans la menace d'invasions sur tous les fronts. À l'est d'abord, où la république de Venise se montre hostile ; au sud ensuite, où les armées du pape font de même ; au nord enfin, où les Français s'agitent. L'autre problème, moins pressant celui-là, tient au désir de Ludovic de recruter un sculpteur capable de réaliser une immense statue équestre afin d'honorer la mémoire de son père, Francesco Sforza.

Le point le plus étonnant de la lettre rédigée par Léonard est l'absence presque complète de références aux qualités qui le distinguent au premier chef. Sur 12 paragraphes, en effet, seul le dernier fait allusion aux arts. Et encore ce paragraphe se résume-t-il à une simple phrase, bien laconique, en comparaison des précédentes. Il s'agit d'une sorte de post-scriptum, suite à une longue série de déclarations, plus affirmatives les unes que les autres, dans lesquelles l'artiste se définit comme un ingénieur militaire d'expérience, très imaginatif, mais capable, en temps de paix, de servir comme architecte ou constructeur de canaux et de monuments. Ensuite, Léonard se contente d'ajouter : « Je puis exécuter de la sculpture en marbre, bronze ou terre ; et, en peinture, faire n'importe quel ouvrage aussi bien qu'un autre, quel qu'il soit. »

Il n'aurait pas même fait état de son art si ce lien n'avait été nécessaire pour introduire la phrase suivante, qui se lit comme suit : « En outre, le cheval de bronze pourrait également être exécuté, qui sera la gloire immortelle et l'éternel honneur du seigneur votre père, d'heureuse mémoire, et de l'illustre maison des Sforza.» Le jugement très modeste que le peintre porte sur ses aptitudes artistiques tranche absolument sur le ton employé juste avant pour décrire la supériorité de ses compétences en matière de génie militaire (ce qui restait d'ailleurs à prouver). En voici un exemple: «Là où un bombardement échouerait, je ferai des catapultes et d'autres machines inusitées et d'une merveilleuse efficacité. En bref, selon les cas, je peux inventer des machines variées et infinies pour l'attaque comme pour la défense.» Contrairement aux autres inventeurs dont «les machines ne diffèrent en rien de celles qui sont communément employées», les siennes sont tout à fait nouvelles et l'artiste propose d'en révéler «les secrets à [son] Excellence».

Léonard a effectivement réalisé plusieurs dessins et croquis dans le but de justifier ses prétentions, mais il est alors beaucoup moins qualifié pour construire de telles machines qu'il ne le laisse entendre à Ludovic. Dans tous ses cahiers, la première date inscrite est celle de 1489, mais il est à peu près certain que nombre de croquis représentant des engins militaires et qui surprennent encore de nos jours ont été exécutés bien avant la rédaction de la lettre à Ludovic le More. Ces dessins montrent des machines plus sophistiquées que ce qui se faisait à l'époque, non seulement dans leurs lignes, leurs formes, mais dans leur conception même. Il est évident que Léonard a étudié en profondeur la fabrication de chacune de ses machines et, pour sûr, il a observé les conditions dans lesquelles on livre les batailles, car il sait ce qui est nécessaire en pareilles circonstances. On peut même, sans crainte de se tromper, se ranger à l'avis de ceux qui prétendent que ces inventions annoncent déjà les gaz toxiques, les écrans de fumée et les chars d'assaut du xxᵉ siècle. En revanche, on ne saura jamais si ces machines auraient rempli les fonctions que leur concepteur attendait d'elles, car il ne semble pas qu'on en ait fabriqué une seule, ni même qu'on ait tenté de le faire. Quoi qu'il en soit, la lettre dont il est question plus haut touche le but visé. Léonard est engagé par Ludovic et s'installe à Milan, en 1482, où il demeurera 17 ans, soit jusqu'à ce que les infortunes du More ne l'obligent à chercher un nouveau protecteur.

Il est possible aussi qu'un autre facteur ait joué en faveur de Léonard et incité Ludovic à le faire venir à Milan. Dans un certain ouvrage intitulé *Anonyme Gaddiano*, réunissant de brèves biographies d'artistes florentins de l'époque, il est écrit que le Vinci aurait habité un moment chez Laurent le Magnifique, aux environs de 1476, soit juste après son apprentissage chez Verrocchio. Ce prince appréciait tellement le talent du jeune artiste qu'il lui aurait accordé un vaste espace dans les jardins de la place San Marco, à Florence, pour restaurer de grandes sculptures antiques. Selon l'*Anonyme Gaddiano* toujours, deux facteurs auraient alors poussé Ludovic à prendre Léonard sous son aile : la recommandation de Laurent d'abord, et le désir de ce dernier d'offrir une lyre d'argent à son allié. Il est raisonnable de croire que Léonard faisait allusion à cette recommandation princière dans la note énigmatique rédigée à la fin de sa vie et qui se lit comme suit : « Les Médicis m'ont créé et ils m'ont détruit. » Si on voit juste, cela signifierait que le départ pour Milan, en 1482, correspond à la première de ces phases et le séjour à Rome, beaucoup plus tard, à la seconde.

CHAPITRE 3

Milan

1482-1500

De 30 à 48 ans

E N VÉRITÉ, CE NE SONT PAS tant les machines de Léonard ou ses façons de mener la guerre qui intéressent Ludovic au premier chef. Dès son arrivée à Milan, le peintre constate que son nouveau protecteur a changé de tactique, préférant la diplomatie aux mouvements de troupes. Pour le moment, il a moins besoin de s'armer et de se défendre. Dans ses notes, Léonard indique que ses fonctions consistent d'abord à réaliser la statue équestre de Francesco Sforza, ce qui correspond à ce qu'on sait des buts et desseins de Ludovic le More.

Pour mieux comprendre ce dernier, il est utile de revenir quelques années en arrière et de dire un mot de son

père, Francesco, fils de paysans, qui réussit à se hisser au
rang de général milanais. Grâce à son flair politique, une
certaine puissance militaire, à son mariage de raison avec
la fille de Filippo Visconti, l'ancien dirigeant du duché,
grâce à l'aide également de Cosme de Médicis, à Florence,
Francesco devint duc de Milan dès 1450, après avoir, pour
ainsi dire, usurpé le trône à l'héritier présomptif des Visconti. À sa mort, en 1466, son fils aîné, un tyran cruel du
nom de Galéas Marie, lui succède, mais il est assassiné dix
ans plus tard, laissant comme héritier son fils, Jean Galéas,
un enfant de sept ans. Ludovic avait convaincu son frère
aîné que, dans le cas où Jean Galéas mourrait sans fils, le
trône lui reviendrait. Bien que la mère de l'enfant assure la
régence, Ludovic proclame sournoisement que le maladif
et peu brillant Jean Galéas est en droit de monter sur le
trône dès douze ans ; il s'arroge sa tutelle, abolissant du
même coup la régence et prenant les rênes du duché au
nom de son neveu. Le plus surprenant dans cette histoire
est que Jean Galéas vivra encore quelques années. Sa mort,
soudaine et mystérieuse, ne survient qu'en 1494, année où
le More devient officiellement duc de Milan, poste qu'il
occupe en fait, sinon en titre, depuis 1482.

En ces temps mouvementés où les dynasties se perpé-
tuent quelques générations à peine, les familles entendent
immortaliser leur nom dès qu'elles prennent le pouvoir, ou
sitôt que possible. Les grands progrès artistiques et cultu-

rels réalisés durant cette période trouble ont lieu à l'instigation des rois, de la noblesse et grâce à l'aide financière
qu'ils octroient aux artistes. Les commerçants les plus
prospères font de même. Pour les célèbres familles italiennes, le moyen le plus sûr de se gagner une gloire éternelle
consiste à utiliser les talents des nombreux artistes et penseurs qui pullulent dans leurs royaumes ou leurs domaines.
C'est ainsi que les Sforza à Milan, les Médicis à Florence et
les Borgia à Rome, si tyranniques soient-ils en politique,
entretiennent autour d'eux une atmosphère où les beaux-
arts, la littérature et la philosophie s'épanouissent sans
entrave, cela pour le plus grand bénéfice des générations à
venir. Chez les Sforza, Francesco avait commencé à agir en
ce sens, faisant bâtir un hôpital et invitant à sa cour nombre de savants et de gens instruits, mais au chapitre de la
protection des arts, son fils Ludovic va beaucoup plus loin
que lui. Bien que ses réalisations à cet égard soient moins
importantes que celles de Laurent le Magnifique, le More
caresse pour Milan des projets analogues à ceux des Médicis à Florence et des Borgia à Rome.

Ludovic s'entoure d'artistes et de lettrés. Comme l'écrit
le poète officiel Bernardo Bellincioni : « D'artistes, sa cour
est remplie […]. Ici, comme une abeille va au miel, court
tout homme de savoir. » Si Ludovic engage Léonard pour
réaliser avant tout la fameuse statue équestre de son père,
il entend déjà lui confier d'autres projets, car la réputation

du peintre a depuis longtemps précédé son offre de services. On sait, grâce à des documents d'époque, que Léonard
jouit alors d'une excellente renommée, qui dépasse les
frontières de Florence, et cela, bien que ses œuvres ache-
vées soient fort rares. Il s'est gagné l'estime et l'admiration
de très nombreuses personnes pour son *Annonciation*, le
Saint Jérôme et l'*Adoration des mages*, même si ces deux
derniers ouvrages sont toujours inachevés. Déjà il est
réputé comme un homme qui, pour reprendre la formule
de Vasari, «commençait beaucoup de choses mais n'en
finissait aucune». On le considère malgré tout comme un
être exceptionnellement doué, dont la seule présence peut
rehausser le prestige de n'importe quelle cour et qui attire
autour de lui d'autres hommes de valeur.

En invitant Léonard à Milan, Ludovic enrichit donc sa
cour d'un jeune artiste d'excellente réputation et, qui plus
est, fort estimé de Laurent le Magnifique, lui-même protecteur d'hommes de mérite. Si le premier devoir du peintre est de concevoir la statue équestre, il est clair que son
nouveau protecteur entend mettre à profit ses nombreux
talents, mais ceux dont il fait preuve en génie militaire sont
relégués pour lors au second plan.

L'*Anonyme Gaddiano* n'est pas le seul ouvrage qui fasse
état de cette lyre d'argent et qui souligne le rôle déterminant qu'elle a joué dans la carrière de Léonard. Vasari en
parle aussi, qui emploie le mot de luth pour la décrire, et

qui, du même coup, corrobore ce que certains ont écrit à
propos d'une autre qualité du Vinci.

> Après la mort du duc de Milan dont Ludovic Sforza prit la
> place en 1494, Léonard dans toute sa renommée fut envoyé à
> Milan auprès du duc, grand amateur de luth, afin de jouer
> devant lui. Il apporta un instrument construit par lui-même,
> en argent pour l'essentiel, sous la forme singulière et inédite
> d'un crâne de cheval, en vue d'obtenir une harmonie plus
> puissante et une meilleure sonorité ; il surpassa ainsi tous les
> musiciens réunis. Il était en outre le meilleur improvisateur
> de son temps en poésie. Le duc, devant ses merveilleux dis-
> cours, s'éprit incroyablement de son talent.

(On notera que Vasari se trompe en faisant coïncider
l'arrivée de Léonard avec l'année où Ludovic devient officiellement duc de Milan. Ce genre d'inexactitude mine les
études léonardiennes depuis des siècles. Étant donné qu'on
ne dispose que de très rares renseignements biographiques
— dont certains sont eux-mêmes peu fiables —, les critères ou les références qui nous permettraient d'évaluer la
justesse de telle ou telle information prêtent parfois à con-
troverse. Pour approcher d'une quelconque vérité, on doit
passer en revue les ouvrages rédigés par une foule d'exégètes, en dégager une ligne directrice crédible, cohérente, sur
laquelle la plupart s'entendent, puis en tirer les éléments les
plus solides.)

Néanmoins, il semble bien que Ludovic ait fait venir
l'artiste à Milan pour réaliser cette fameuse statue. Léonard

s'intéresse depuis longtemps à l'anatomie des chevaux ; on croit savoir que, bien avant de quitter Florence, il a déjà disséqué plusieurs carcasses. On possède encore certains croquis de chevaux dessinés de sa main, mais il ne terminera jamais la statue de Francesco Sforza. Il faudra attendre quelque 500 ans avant de voir une pièce qui s'en approche un peu. Au cours de l'année 1999, en effet, de fervents admirateurs américains unirent leurs efforts pour couler une sculpture de bronze représentant un cheval assez semblable, croit-on, à celui que son concepteur avait imaginé[1].

1. En fait, il s'agit davantage d'une interprétation des volontés de l'artiste que d'une reproduction fidèle. La statue n'a pas de cavalier, d'une part, et il n'existe par ailleurs aucun dessin ni maquette correspondant aux intentions initiales du Vinci. Autrement dit, on ne sait quelle forme, quelle allure, l'œuvre achevée devait avoir précisément. Le pèlerinage entrepris dans le village natal de mon idole fut peut-être inutile, en revanche j'ai vu le cheval en question dans une fonderie de Beacon, dans l'État de New York où, avant de les assembler, les ouvriers ont fondu 60 éléments distincts, au rebours des intentions du maître qui, lui, voulait fondre son œuvre « d'un seul tenant ». Je me suis rendu dans cette fonderie quelques jours avant qu'on expédie la pièce à Milan, où les citoyens l'attendaient avec le scepticisme qu'on réserve souvent aux bonnes intentions plus ou moins incongrues des braves Yankees. Aujourd'hui, le cheval sans cavalier trône loin du centre-ville, sur une grande place, au sein de l'Hippodrome de Milan. Peu apprécié, il est là tout seul, ignoré des habitants et des touristes. Pour les Milanais, il n'est qu'un autre de ces leurres qu'on offre aux naïfs admirateurs de Léonard, un peu comme la Casa Natale, à Vinci...

L'histoire de ce cheval inachevé (je reviens à celui du xvᵉ siècle) résume assez bien celle de Léonard lui-même et illustre le climat politique de cette période pour le moins tourmentée. Comme dans d'autres domaines, Léonard travaille à la fabrication de son cheval par à-coups; c'est-à-dire qu'il s'y met avec entrain durant quelque temps, puis le délaisse, entraîné qu'il est par d'autres recherches qui l'absorbent davantage. Mais il y a tant de retards et de délais qu'en désespoir de cause Pietro Alemanni, l'ambassadeur florentin en poste à Milan, écrit à Laurent le Magnifique en juillet 1489 pour lui demander d'envoyer « un ou deux autres maîtres habiles à ce genre de besogne », car il craint que Léonard ne remplisse pas la commande. On ignore si ces hommes eussent pris la relève du Vinci ou s'ils auraient travaillé sous ses ordres, mais, peu après, le maître retourne à ses cartons et se remet au travail avec ardeur. Il est fort possible aussi que l'impatience de Ludovic ait poussé l'artiste irrésolu à reprendre son ouvrage. Une phrase, inscrite par Léonard sur la couverture d'un carnet consacré essentiellement à des études d'optométrie, se lit comme suit : « Le 23 avril 1490, j'ai commencé ce livre et recommencé le travail sur le cheval. » Mais il dut y avoir d'autres délais, car le grand jour n'aura lieu qu'en novembre 1493. En effet, lors des somptueuses festivités marquant le départ de la sœur de Jean Galéas, Bianca Maria Sforza, qui se fiançait avec l'empereur Maximilien, on dévoile une immense maquette en argile du cheval, de plus de sept mètres sans son socle, dans la cour du château des Sforza, au grand plaisir de la foule rassemblée pour l'admirer.

Du coup, les fastidieux retards sont oubliés. L'un des poètes de la cour, Baldassare Taccone rédige alors des vers enthousiastes, louant le gigantesque cheval et son créateur : « Regardez comme il est beau le destrier ! Leonardo l'a fait seul. Ô sculpteur, grand peintre, grand mathématicien ! Rarement le Ciel nous offre un si grand esprit. »

Comme je l'ai dit, le projet ne connaîtra jamais sa conclusion. En novembre 1494, Ludovic envoie à Ferrare le bronze réservé à la statue, soit 1000 tonnes environ, pour en faire des canons. Léonard tire encore quelques plans ; déjà il devine que l'affaire est condamnée. Il écrit un jour au duc : « Quant au cheval, je ne dis rien, car je sais que les temps ne sont guère favorables. » Il ne reste que des fragments de cette lettre à Ludovic. Plus loin, Léonard fait état de sa situation financière difficile, il se plaint de ne point recevoir son salaire pour payer ses apprentis et les faire vivre. Cependant il ne semble pas que la bourse du duc soit mieux garnie que la sienne. En 1499, alors que le contexte politique est pour lui désastreux, Ludovic donne à Léonard de grandes vignes à l'extérieur de la ville, en guise de paiement définitif. Encore s'y résout-il après que son créancier l'eut supplié de payer. Enfin, en 1500, quand les troupes françaises du roi Louis XII occupent Milan, des archers gascons se servent du cheval comme cible et le détruisent en partie. Puis le temps fait son ouvrage, la grande sculpture se détériore au gré des intempéries.

Les six ou sept années que Léonard a passées à Florence en qualité d'artiste indépendant ne l'ont guère enrichi. Il s'en faut. Non seulement ses revenus étaient-ils maigres et ses tarifs modestes, mais l'habitude qu'il a prise de laisser ses œuvres inachevées ne sont pas de celles qui assurent de régulières rentrées d'argent. Aussi, on peut affirmer qu'il arrive à Milan à peu près sans le sou. Ludovic a promis de se montrer généreux, mais il ne tient pas toujours parole. Léonard doit attendre des semaines, parfois des mois, pour toucher son dû et il se lamente. De plus, depuis quelques années, il dirige un atelier, où élèves, apprentis, serviteurs et compagnons vivent ensemble à ses frais, ce qui lui coûte souvent plus qu'il ne gagne. Si on ajoute à cet état de choses une tendance remarquée à vivre au-dessus de ses moyens — notre homme a des chevaux, des palefreniers, de véritables équipages, et vit sur un grand pied —, on ne s'étonnera pas d'apprendre qu'il doit souvent de l'argent, ou du moins qu'il fait des efforts considérables pour se tenir à flot. Pourtant, il parvient à mettre de côté, de temps à autre, un florin ou deux, comme nous le verrons plus loin. On peut supposer par ailleurs que sa situation financière n'est pas aussi catastrophique qu'il le prétend. Peut-être pense-t-il que la seule façon de recevoir de l'argent d'un souverain mal disposé à payer est de se lamenter de sa pauvreté ; c'est sans doute un bon moyen d'obtenir satisfaction, même si le procédé ne fonctionne pas toujours. Dans cette lettre à Ludovic, dont il était question plus haut et dans laquelle l'artiste se plaignait de n'avoir reçu aucun règlement depuis deux ans, il ajoute être dans l'obligation d'accepter des commandes extérieures pour subvenir aux dépenses de sa maison.

Car, en plus d'un salaire qu'il attend souvent longtemps, mais qu'on finit tout de même par lui verser, Léonard est libre de prendre des commandes autres que celles du prince. Il s'agit surtout de portraits ou d'études qui lui auraient assuré des revenus appréciables s'il avait été prompt à les achever. C'est loin d'être le cas. Et pourtant. Même s'il traîne une réputation de travailleur peu assidu, sa renommée d'excellent artiste, plus grande encore, incite les bonnes familles et d'autres à revenir vers lui, dans l'espoir qu'il terminera tel ouvrage promis ou tout juste esquissé. En fait, il est sans cesse occupé ; les années milanaises sont celles d'une intense activité créatrice.

Dès le début, Ludovic confie à Léonard une certaine tâche qui, pour sûr, doit l'agacer souverainement, car elle le détourne de ses recherches scientifiques, pour lesquelles il manifeste un intérêt toujours croissant. À Florence déjà, il participait aux nombreuses festivités offertes par la municipalité qui, comme on l'imagine aisément, baignait alors

dans l'opulence et l'esprit de la Renaissance. Le tempéra-
ment sportif du Vinci, sa grâce naturelle, sa force physique
même, faisaient de lui un candidat tout désigné pour se
mêler aux joutes marquant les réjouissances et sans doute
y participait-il avec enthousiasme. Laurent le Magnifique
demandait souvent à Verrocchio d'organiser ces fêtes et il
y a lieu de croire que Léonard, son apprenti, l'assistait avec
plaisir. À l'occasion de cérémonies religieuses ou laïques, ils
dessinaient ensemble des costumes et concevaient des
chars allégoriques, tout en couleur, qui défilaient ensuite
dans les rues de la ville.

Milan, comme Florence, est une cité prospère, pleine
d'activités, où on organise à tout propos des réjouissances
et des tournois. Enrichie par son industrie lainière et ses
manufactures d'armes, la ville est sur le point de se lancer
à grande échelle dans la fabrication et le tissage de la soie,
industrie fort lucrative elle aussi. Dans plus de cent échop-
pes et ateliers, des artisans confectionnent des armures, des
boucliers, des sabres, des lances et des hallebardes, de sorte
que le centre-ville a presque un air de garnison. Les quelque 300 000 habitants sont protégés par 15 tours fortifiées,
reliées entre elles par d'épaisses murailles, qui encerclent la
ville, à laquelle on accède par sept portes massives. Le château ducal, pour sa part, cerné de fosses et de hauts murs,
se dresse comme une sentinelle redoutable, derrière l'une
de ces portes, et paraît carrément imprenable.

Bref, il n'est pas surprenant que le More songe à son nouvel « artiste en résidence » pour organiser des fêtes, car il semble que Léonard ne se soit pas contenté de dessiner des costumes ou de concevoir des décors, mais bien qu'il ait été, à l'occasion, le maître des cérémonies. Il reste qu'à 30 ans, avec tous les projets qu'il a en train et à l'esprit, il commence à trouver cette tâche bien fastidieuse, même si elle l'amusait hier encore. Pourtant il n'a d'autre choix que de s'y mettre. Il s'y emploie consciencieusement d'ailleurs, avec toute l'énergie et l'imagination dont il est capable. La description d'un somptueux spectacle, conçu par lui, la fête du Paradis, nous donne une bonne idée de la magnificence qu'il déployait en ces circonstances. Ludovic ordonne la préparation de cette fête pour divertir à dessein Jean Galéas et son épouse, Isabelle d'Aragon, et les conforter dans l'illusion qu'ils sont toujours les véritables souverains du Milanais. Bernardo Bellincioni écrit à ce propos :

> La fête ou représentation du Paradis, montée sur ordre de Ludovic le More en l'honneur de la duchesse de Milan, est ainsi appelée, car maître Léonard de Vinci, de Florence, avec un art ingénieux, y a fait tourner les sept planètes dans leurs orbites ; les planètes étaient représentées par des hommes vêtus en poètes et chacune d'elles chantait tour à tour les louanges de la duchesse Isabelle.

Durant ces premières années à Milan, malgré toutes ses fonctions, Léonard consacre à l'étude des mathématiques, de l'optique et de la physique autant de temps qu'il le peut. En outre, résolu à étendre son vocabulaire, à mieux maîtriser la langue, il s'astreint à dresser des listes comprenant des milliers de mots italiens avec leurs synonymes. Jamais il ne perd une minute. On dirait qu'il observe à la lettre sa propre devise : « Le fer se rouille faute de servir ; l'eau stagnante perd sa pureté et se glace par le froid ; de même l'inaction sape la vigueur de l'esprit. »

Léonard se livre aussi à sa passion pour le vol des oiseaux et se demande si l'homme ne pourrait pas voler tout comme eux. Il fait plus que se poser la question d'ailleurs, il y travaille, dessinant des croquis de machines volantes et calculant les forces mécaniques dont il faut tenir compte pour actionner ces machines. En 1499, juste avant de quitter Milan, il dresse une liste des livres qu'il possède. On y trouve une grande variété d'ouvrages scientifiques, littéraires, historiques et philosophiques, mais deux seulement relatifs à la maladie, encore que cette dernière n'en soit pas le sujet principal. Aucun livre d'anatomie ne figure dans cette liste.

De temps en temps, il a l'occasion de disséquer un cadavre (probablement à l'Ospedale del Brolo, une aile de l'Ospedale Maggiore, établissement autorisé à pratiquer des autopsies). Il semble, d'après ses carnets, qu'il emporte chez lui des membres ou des fragments de corps afin de les examiner et de les dessiner tout à loisir. Certes il avait commencé ses recherches anatomiques à Florence, mais c'est à Milan qu'elles prennent une tournure vraiment scientifique, devenant plus précises, presque systématiques ; elles ne lui servent plus de prétexte pour améliorer son dessin ou sa peinture. On peut dire que Léonard se plonge alors résolument dans l'étude du corps humain. Comme l'écrit Freud : « L'artiste avait d'abord pris le chercheur à son service, mais le serviteur était devenu le plus fort et opprimait son maître. »

Il reste que sur ce sujet, même, tout le monde ne s'entend pas. Dans un ouvrage très estimé, publié en 1952, et intitulé *Leonardo da Vinci on the Human Body*, Charles O'Malley et J. B. de C. M. Saunders doutent fort que l'artiste ait été autorisé à fréquenter l'Hôpital Maggiore. Ils estiment que certaines erreurs, relevées dans les premiers dessins (mais qui seront corrigées au cours des dernières années), prouvent que les connaissances anatomiques du Vinci découlent essentiellement, à cette époque, de ses lectures, de ses observations et de ses dissections sur les animaux, plutôt que d'autopsies pratiquées sur des corps humains. O'Malley et Saunders soulignent toutefois qu'à la fin des années milanaises Léonard commence à présenter — ce qu'il est le premier à faire — des coupes transversales des membres et à dessiner tel ou tel élément sous des angles différents, « comme si l'observateur tournait autour et pouvait considérer la chose de tous les points de vue », innovation extrêmement précieuse pour les anatomistes et, plus encore, pour les chirurgiens. Léonard décrit sa méthode de la manière suivante :

> Pour avoir une vraie connaissance de la forme d'un corps, il convient d'en présenter différents aspects. Il en va de même pour obtenir une vraie connaissance de chaque membre de l'être humain. [...] J'observerai cette règle en donnant de chaque membre quatre illustrations depuis ses quatre côtés. Et, pour les os, j'en donnerai une cinquième, après les avoir sectionnés au milieu, pour montrer la cavité interne de chacun d'eux.

Le Vinci utilisera cette méthode, dont il est le précurseur rappelons-le, jusque dans ses toutes dernières études. Que Saunders et O'Malley se trompent ou pas, on est certain d'une chose : vers 1489, soit sept ans après l'arrivée de Léonard à Milan, ses recherches avancent si bien qu'il se propose de publier un traité d'anatomie. Enfin il ne se borne pas à remplir ses carnets d'observations scientifiques, il y ajoute nombre de réflexions à caractère philosophique.

Notre chercheur s'intéresse au mouvement de même qu'aux forces qui le déterminent. Les courants d'énergie qui traversent l'homme et l'animent sans cesse, comme ils animent la nature, forment un thème récurrent et même central dans ses ouvrages. Il fait souvent allusion au débit des fleuves aussi. En fait, il se sert de l'image de l'eau qui court pour symboliser cette énergie en mouvement. Cette image est au cœur de sa conception de l'univers. À ses yeux, on étudie d'abord la forme pour mieux connaître la fonction et les forces physiques qui l'animent. Il développe aussi une certaine idée, qui lui est chère depuis longtemps, et qui repose sur la notion selon laquelle un instant furtif, saisi au bon moment par l'artiste et l'homme de sciences, peut révéler, à lui seul, l'essence d'un être ou d'un phéno-mène naturel. Il soutient qu'en art, comme en science, on doit tenter de capter cet instant, l'interrompre, puis bien l'examiner, car il renferme à la fois le passé et l'avenir, tout en étant le présent même. À ce propos, Kenneth Clark parle de la « célérité surhumaine de l'œil » du Vinci, qui permet à son esprit de conserver intacte et précise telle impression immédiate. L'historien d'art Sydney Freedberg dit de *La Joconde* qu'elle est « une image où instant fugace et pose éternelle sont comme suspendus ».

Revenant à cette idée du mouvement de l'eau, considéré comme illustration et, parfois, comme métaphore des for-ces vitales, de l'harmonie rythmique et de l'unité de la nature, Léonard écrit : « Dans les fleuves, la vague que tu touches est la dernière de celles qui passent et la première de celles qui viennent. Ainsi va le présent. » Il n'existe pas, dans tous les écrits du Vinci, une formulation plus juste, ni plus concise, de sa théorie sous-jacente selon laquelle un simple instant peut révéler l'essence d'un être ou d'un

phénomène. Si on ajoute à cela le conseil adressé aux peintres, qui doivent saisir du même coup l'homme et le dessein de son âme, on se retrouve avec une théorie de l'art
complète, résumée en deux phrases.

En peinture, rappelle-t-il, cette doctrine doit inciter l'artiste à porter toute son attention au mouvement des muscles
faciaux, en particulier ceux qui entourent la bouche. Il convient d'observer toutes les parties du corps avec une pareille
curiosité, y compris le torse et les membres, car leur posture
et l'attitude en général révèlent bien des choses. Tels gestes
trahissent la pensée intime. C'est dans l'esprit que le mouvement débute. Ainsi, chaque peinture représentant un être
humain est, ou doit être, une étude psychologique. Cet
enseignement culminera avec *La Joconde*, mais durant la
période milanaise, le meilleur exemple de son application,
le plus accompli, est sans conteste *La Cène*, commandée à
Léonard par Ludovic le More et les Dominicains, pour le
réfectoire du couvent de Santa Maria della Grazie.

Le moment choisi par l'artiste pour immortaliser l'événement est l'un des plus cruciaux de toutes les Écritures. Le
Christ vient juste de formuler sa prophétie : « En vérité, je
vous le dis, l'un de vous me trahira. » Cette phrase, même
si elle est prononcée sur un ton des plus calmes, produit
sur les convives l'effet de la foudre tombée sur place. Il
s'agit d'une scène d'une telle intensité dramatique, qu'elle

nous en apprend davantage que ne le feraient des heures de film. Chacun des hommes présents offre de lui-même un portrait psychologique immédiat, qui semble révéler ses pensées intimes, y compris celles qui lui viendront plus tard. Et bien qu'ils partagent une même réaction de surprise, les apôtres expriment celle-ci d'une manière qui est propre à chacun. Comme l'écrivait le Vinci : « Telle figure est plus réussie qu'elle révèle, par ses gestes, les passions de l'âme. » De fait, on a l'impression de connaître chacune de ces personnes, même si on la voit pour la première fois. Et on a beau connaître par cœur ce passage de l'Évangile, chaque apôtre acquiert à nos yeux une identité, une matérialité, qu'on n'avait pas soupçonnées jusque-là. Est-ce la raison pour laquelle Kenneth Clark dit de *La Cène* qu'elle est la « pierre angulaire de tout l'art européen » ?

Le maître a probablement commencé cette œuvre en 1495, pour la terminer vers la fin de 1498, alors qu'il travaille toujours au grand cheval et à tant d'autres projets qui occupent le plus clair de son temps. À mesure qu'on se familiarise avec ses méthodes de travail, se dégage peu à peu l'image d'un homme dont l'une des principales qualités est de porter toute sa concentration sur l'œuvre qu'il a devant lui, peu importe qu'il l'achève ou pas. C'est en tout cas l'impression qui nous gagne à la lecture d'un texte bref, rédigé par un témoin oculaire, l'écrivain Matteo Bandello :

Il lui arrivait de demeurer là depuis l'aube jusqu'au coucher du soleil, ne posant jamais son pinceau, oubliant le manger et le boire, peignant sans relâche. Parfois il restait ainsi deux, trois ou quatre jours sans toucher un pinceau, bien qu'il passât quotidiennement plusieurs heures à considérer son œuvre debout, les bras croisés, examinant et critiquant en lui-même les figures. Je l'ai vu également, poussé par quelque subite fantaisie, à midi, lorsque le soleil était au zénith, quitter la Corte Vecchia où il travaillait à son merveilleux cheval d'argile pour venir tout droit à Santa Maria della Grazie, sans chercher l'abri de l'ombre, et escalader l'échafaudage, saisir un pinceau, poser deux ou trois touches, puis s'en aller brusquement.

Cette irrégularité dans les habitudes de travail causera la perte de la grande fresque. Pour réaliser un ouvrage de cette nature, il convenait en effet de peindre telle surface le jour même où on en préparait le fond. Pour ce faire, on appliquait de l'aquarelle sur du plâtre humide. Afin de se soustraire à cette obligation, Léonard utilise de l'huile et un vernis sur plâtre sec, technique qui se révèle trop sensible à l'humidité et ne résiste pas aux ravages du temps. Dès les années 1510-1520, l'œuvre commence à se détériorer, phénomène qui dégénère assez vite, comme le constate Vasari en 1556. Au cours des siècles, pas moins de neuf tentatives de restauration échoueront et ne feront qu'aggraver les choses. Lorsqu'en 1995 je suis moi-même entré dans le réfectoire du couvent pour contempler le chef-d'œuvre, j'ai pu en apprécier la splendeur, car je savais — et seulement parce que je savais — vers quoi porter mon regard. Depuis lors, une équipe de spécialistes hautement qualifiés a complété un travail entrepris 20 ans plus tôt et réussi à ranimer quelque peu l'esprit d'une œuvre qu'on croyait jusque-là perdue de manière irrémédiable.

Mais où donc Léonard partait-il brusquement, après avoir posé deux ou trois touches de pinceau? Pour le savoir, nous avons le témoignage d'un moine, Sabba di Castiglione, qui a assisté à l'érection du grand cheval d'argile, puis à sa destruction. «Au lieu de se consacrer uniquement à la peinture qui, à n'en point douter, aurait fait de lui un nouvel Appelle [artiste grec ayant vécu quatre siècles avant notre ère et considéré comme le plus grand de l'Antiquité], Leonardo s'absorbait dans des travaux de géométrie, d'architecture et d'anatomie.» Bien entendu, il doit en outre honorer d'autres commandes, dont la plus illustre est celle qu'il réalise avec le peintre Ambrogio de Predis, soit un grand retable pour la confrérie de la Conception de la Sainte Vierge Marie. Cette œuvre se présentait à l'origine sous la forme d'un triptyque. Léonard se charge du panneau central et Predis des deux volets. Ce sera la magnifique *Vierge aux rochers*, dont il existe aujourd'hui deux versions, celle du Louvre, qui est probablement la première, et une autre, à la National Gallery de Londres. Ce travail, exécuté entre 1483 et 1490, est à l'origine de nombreuses querelles entre les deux artistes et les membres de la confrérie, en raison du coût et de certaines dispositions contractuelles. Évidemment, la plupart des artistes de la Renaissance connaissaient de semblables disputes, mais celles-ci sont plus fréquentes avec le Vinci, à cause de son habitude de ne pas achever ses œuvres, alors que les commanditaires avaient déjà commencé à le payer ou parce qu'il n'y touchait pas durant de longues périodes de temps. L'histoire de *La Vierge aux rochers* est typique de ce phénomène. Les moines désiraient la dévoiler à l'occasion de la fête de l'Immaculée Conception, le 8 décembre 1483, mais Léonard ne la complétera qu'en 1486, d'où des mésententes relatives aux paiements.

Suite à une épidémie de peste, en 1484-1485, laquelle aurait causé la mort de 50 000 personnes, Léonard se remet à l'urbanisme et passe un long laps de temps à dresser des plans en vue de reconstruire Milan sur de nouvelles bases. Pour ce faire, il se fonde sur les études qu'il a entreprises auparavant et qui découlaient de ce qu'on savait alors de l'hygiène publique. Pour être exact, les connaissances de Léonard à ce chapitre dépassent de loin celles de ses contemporains. Il propose de bâtir une ville à deux niveaux superposés, avec un double réseau de rues larges, le niveau supérieur étant réservé aux piétons, l'autre à la circulation des véhicules, les deux niveaux bordés d'arcades et reliés entre eux par des escaliers. Les rues et les canaux seraient construits de manière à pouvoir livrer les marchandises par bateau aux boutiques et aux immeubles d'en bas.

Dans l'esprit de Léonard, il convient de bâtir cette ville près de la mer ou d'une grande rivière comme le Tessin, que les fortes pluies ne risquent pas d'obstruer en y charriant des tonnes de boue. En plus de fournir aux habitants une alimentation fiable en eau potable, la rivière pourrait également irriguer les plaines lombardes grâce à un système de canaux aménagés à cette fin. La population habiterait dans 10 quartiers d'égale importance, répartis le long du cours d'eau, chacun d'eux abritant 30 000 personnes; ainsi, précise Léonard dans ses notes, «tu disperseras la masse du peuple, parquée pêle-mêle comme un troupeau de chèvres, emplissant tous les coins de sa puanteur et semant la mort pestilentielle». Pour lui, comme pour les urbanistes des siècles ultérieurs, une ville doit refléter les valeurs de ceux qui l'habitent et former une entité sociale en elle-même. En revanche, une cité qui se développe sans plan aucun, sans idée directrice, ne correspond bientôt plus aux visées les plus nobles de ses dirigeants et de sa population; on doit donc la raser, puis la reconstruire de telle façon que sa structure illustre les aspirations les plus élevées de tous.

Jamais le More ne donnera suite à ce projet, si louable soit-il; il ne tentera même pas de le réaliser en partie. L'eût-il fait que Milan aurait servi de modèle à la reconstruction d'autres villes européennes, dont plusieurs étaient alors aussi encombrées et anarchiques que certains quartiers de Milan. Bien sûr, les coûts eussent été considérables, énormes, mais même si Ludovic s'était soucié de la santé de ses sujets les moins favorisés pour entreprendre une action dont l'un des principaux avantages eût été de transformer leur mode de vie, les temps n'étaient guère propices à des travaux de cette envergure. En bref, Léonard imaginait une ville où il fait bon vivre, bâtie selon des principes d'hygiène publique, mais dont on n'appréciera l'excellence que des siècles plus tard.

Durant toute la période milanaise, Léonard s'occupe d'architecture et collabore à différents projets de cette espèce. Le plus important d'entre eux vise l'achèvement de la cathédrale de Milan, à laquelle il travaille épisodiquement de 1487 à 1490. Il confectionne une maquette en bois représentant l'édifice tel qu'il doit être au terme des travaux, mais par la suite il se désintéresse de l'affaire et rien ne nous indique qu'il s'y soit remis plus tard. Toutefois, avant d'abandonner, il fréquente à plusieurs reprises la bibliothèque ducale de Pavie, de même que l'université de cette ville, où il consulte des ouvrages d'architecture. Il fait également des études anatomiques à l'école de médecine de Pavie, où il observe des cadavres d'êtres humains et d'animaux. (Si O'Malley et Saunders voient juste, il se contente d'assister à des autopsies sans les pratiquer lui-même.) Les cahiers qu'il remplit durant cette période renferment des dessins et des descriptions du cerveau humain, des nerfs crâniens, et des rapports d'expériences effectuées sur la moelle épinière des grenouilles.

À cette époque, le titulaire de la chaire de mathématiques à l'Université de Pavie est un certain Fazio Cardano, père de Jérôme Cardan, qui deviendra plus tard un physicien et un mathématicien de grande renommée, dont les ouvrages sont, aujourd'hui encore, d'une estimable valeur historique. Fazio Cardano a dirigé la publication de la *Perspectiva communis*, un traité d'optique magistral, écrit par John Peckham, ouvrage que Léonard consulte à plusieurs reprises et dont il discute longuement avec le professeur. Grâce à ces lectures et à ces entretiens, le Vinci développe de nouvelles idées sur la perspective, les mathématiques et la nature de l'œil. Cet organe revêt pour lui une importance particulière, non pas seulement comme objet d'étude, mais aussi parce qu'il est le sens par lequel tout phénomène visible est transmis au cerveau. « L'œil, écrit-il, qu'on appelle la fenêtre de l'âme, est le principal vecteur grâce auquel le système central peut le mieux apprécier les infinis ouvrages de la nature. » On notera qu'au rebours de la plupart des hommes de son époque, il ne parle pas des « infinis ouvrages de Dieu », mais bien de ceux de la nature. Léonard laisse aux ecclésiastiques tout ce qui touche au divin et estime que ce qui relève de la nature tombe dans ses champs de compétence. C'est là une réflexion qu'un savant du XXIe siècle peut formuler sans rougir.

Pour Léonard de Vinci, les mathématiques sont l'indispensable clé pour saisir la nature qu'il observe attentivement. Elles sont la clé qui permet d'accéder non seulement à la physique et au mouvement, mais à toutes les sciences, y compris la biologie humaine. À ceux qui désirent étudier les phénomènes naturels, il rappelle ceci : « Oh ! élèves, étudiez d'abord les mathématiques et ne construisez rien sans fondements. » Il faudra attendre plus d'un siècle avant qu'on reconnaisse l'exactitude d'un principe auquel il tient et qu'il énonce en ces termes : « Aucune recherche humaine ne peut être nommée connaissance vraie si elle n'aboutit pas à une démonstration mathématique. »

Le fils naturel de Fazio Cardano, Jérôme, grand mathématicien lui-même, qui deviendra professeur de médecine à Pavie, en 1547, s'intéressera de près, comme Léonard, à l'application de principes mathématiques dans l'étude des phénomènes naturels. Dans un chapitre consacré à l'art et tiré de son ouvrage majeur *De subilitate rerum*, publié en 1551, il reprend une idée du Vinci, selon laquelle la peinture est la forme artistique la plus achevée et la plus exigeante. La dernière phrase du passage suivant aurait pu être écrite par l'ami disparu de son père. Dans cette phrase, Cardan rappelle que Léonard fut le premier artiste à définir puis à posséder toutes les qualités requises pour devenir un grand peintre :

> La peinture est le plus subtil et le plus noble de tous les arts mécaniques. Elle crée des choses plus admirables que la poésie ou la sculpture ; le peintre ajoute des ombres, de la couleur et s'astreint à une discipline spéculative. Il est nécessaire, pour lui, d'acquérir une connaissance de toute chose, car toute chose le concerne et doit l'intéresser. Le peintre est un philosophe scientifique, un architecte et un habile disséqueur. La représentation fidèle de toutes les parties du corps humain repose sur cette connaissance. Cette pratique fut inaugurée par Léonard de Vinci, le Florentin, qui l'a développée presque à la perfection.

L'amitié et les rapports de Léonard avec Fazio Cardano enrichissent assurément les connaissances du peintre, mais Luca Pacioli, le plus grand mathématicien de l'époque, aura sur lui plus d'influence encore, et cela, sur un plus long laps de temps. Pacioli, un franciscain, est alors considéré comme l'un des conférenciers les plus éminents par la grande majorité des universitaires de la péninsule. Quand Ludovic l'invite à enseigner à Milan, en 1496, Léonard connaît déjà son fameux ouvrage, *Summa de aritmetica, geometria, proportioni et proportionalita*, publié deux ans plus tôt. Les deux hommes se lient d'amitié peu après l'arrivée de Pacioli et, avant longtemps, ce dernier s'installera même chez Léonard. Ils collaborent étroitement l'un avec l'autre, se communiquant les résultats de leurs recherches respectives ; Pacioli devient pour son ami une sorte de professeur de mathématiques supérieures, il lui apprend à calculer avec la racine des nombres et l'épaule dans ses études de géométrie. Bien entendu, la présence d'une sommité comme Pacioli à Milan est une aubaine pour un artiste qui s'intéresse de si près à la perspective et aux proportions. Le traité que Pacioli rédige ensuite, *De divina proportione*, comprend 60 illustrations exécutées par Léonard, dont le célèbre dessin de l'homme, bras et jambes tendus. Pour le réaliser, le Vinci reprend l'idée classique de Vitruve, l'architecte romain d'autrefois, selon laquelle les parfaites proportions d'un immeuble doivent correspondre aux parfaites proportions du corps ; Léonard illustre cela en représentant l'homme dans un cercle et un carré. De toute évidence, sa participation à l'ouvrage de Pacioli le stimule et influencera ses travaux ultérieurs sur les proportions humaines.

Dans une lettre destinée à Ludovic, Pacioli écrit en 1498 : « Leonardo, avec toute la célérité qu'on lui connaît, a terminé son très estimable "Livre sur la peinture et la mobilité de l'homme" », laissant entendre qu'un tel ouvrage existe vraiment. On ignore ce qu'il voulait dire par là, mais d'autres personnes découperont des pages des carnets du Vinci et les rassembleront pour composer une monographie, intitulée *Traité de la peinture*. Publié en 1651, ce livre fera croire à bien des gens que le maître l'a réellement voulu tel et complété.

Si Ludovic avait été plus habile politique, plus heureux dans ses alliances et victorieux à la guerre, Léonard serait probablement resté à Milan jusqu'à la fin de sa vie. Mais son protecteur ne possédait aucune de ces qualités. Dans ses relations avec la France, notamment, il apparaît comme un politicien, un diplomate et un guerrier assez infortuné. Louis XI avait favorisé ses intrigues pour prendre et conserver le pouvoir à Milan, mais en 1483, à la mort du souverain français, Ludovic se retrouve allié à son successeur, Charles VIII, homme à la fois trop jeune et peu brillant. Ce dernier a des prétentions sur le royaume de Naples (dont il s'emparera en 1493), royaume qui s'oppose depuis toujours au duché de Milan, et le More juge habile d'inviter Charles VIII et son armée pour une visite toute protocolaire. Mais le mécontentement des Milanais et la mauvaise conduite des soldats français créent des tensions considérables et Ludovic commet alors sa première faute grave. Le pape et la république de Venise ayant formé une alliance contre les Français, le More rompt ses liens avec Charles VIII, puis se joint à la ligue italienne, en compagnie des Autrichiens. Ensemble, ils parviennent à renvoyer Charles dans son pays, où il meurt en 1498. Or son successeur, Louis XII, est le petit-fils des Visconti, dont Francesco Sforza avait usurpé le trône. Comme il est prévisible,

Louis XII fait immédiatement valoir ses droits sur le Milanais ; le pape et les Vénitiens rompent à leur tour leur alliance incongrue avec Ludovic et se rapprochent des Français qui attaquent le duché. C'est l'occasion, pour le More, d'apprécier la solidité des fortifications qui entourent son imprenable cité. Lorsqu'il voit les Français dessiner sur les murailles, il court à Innsbruck chercher la protection de l'empereur Maximilien Ier, l'époux de sa nièce. Au cours de l'été de 1499, Louis XII, à la tête d'une armée considérable, entre dans Milan sans y rencontrer de résistance. Parmi ses soldats, il est un corps d'archers gascons qui saccagent le cheval d'argile sculpté par Léonard.

Le Vinci voit les Français aux portes de Milan. Malgré les plaintes qu'il adresse régulièrement à ses créanciers, il a tout de même réussi à mettre de côté quelque 600 florins (certains biographes supposent qu'il a reçu du même coup le règlement de plusieurs factures impayées), argent qu'il dépose en décembre 1499 dans une banque de Florence, avant de quitter Milan, qui fut sa ville durant de si nombreuses années. Accompagné de Pacioli, d'un de ses élèves préférés, Andrea Salai, et d'autres amis et serviteurs, il se rend à Mantoue, qu'il juge assez sûre pour observer de loin la tournure des événements. Mais il demeure peu de temps sur place et poursuit sa route jusqu'à Venise, avant de revenir à Florence, en avril 1500, constatant que les efforts du More pour reconquérir son duché échouent l'un après l'autre. Quand il arrive à Florence, Léonard vient de fêter son 48e anniversaire de naissance.

Avec l'aide de l'empereur Maximilien, Ludovic reprend toutefois le Milanais en février 1500, mais en avril, lors d'un rude affrontement entre ses troupes et une puissante armée française, à Novare, les mercenaires suisses qu'il a engagés désertent le champ de bataille. Le More tente de s'enfuir, déguisé en lancier suisse, mais il est capturé par ses enne-mis, envoyé en France et incarcéré dans le donjon du châ-teau de Loches, en Touraine, où il demeurera jusqu'à sa mort, en 1508.

Toute l'infortune de ces jours sombres affleure dans un commentaire, noté par Léonard au moment où, croit-on, il se prépare à quitter Venise, et prend conscience qu'il ne reviendra pas à Milan de sitôt. «Le gouverneur a été fait prisonnier ; on a enlevé le vicomte et tué son fils ; le duc a perdu ses États, ses biens personnels, sa liberté ; aucune de ses entreprises n'a été terminée.» L'heure de gloire des Sforza est bel et bien révolue. Il n'empêche. Léonard doit espérer revenir un jour dans cette ville où il a accompli tant de choses et laissé en plan de si nombreux projets, car il ne vend pas ses vignes, préférant les louer en attendant.

On croit connaître la date approximative de son retour à Florence par un registre bancaire, où il est précisé que Léo-nard retire des florins, le 24 avril 1500. Il découvre alors une ville différente de celle qu'il avait laissée, 18 ans plus tôt.

CHAPITRE 4

Florence, 1500-1502
Rome, 1502-1503
Florence, 1503-1506

De 48 à 54 ans

À Léonard, en effet, Florence doit paraître bien transformée, presque étrangère. Quelques années après son départ, les Médicis en ont été chassés et les troupes de Charles VIII ont occupé la ville. Pour recouvrer quelque autonomie, les Florentins ont puisé dans leurs réserves et versé des sommes considérables au roi de France pour l'inciter à rentrer chez lui avec ses soldats. Évidemment, l'économie et les finances souffrent de ces ponctions. Malgré l'argent versé, les armées françaises demeurent une menace, tout comme celles du pape

Alexandre VI. De plus, il est une autre menace, moins évidente pour le moment, en la personne du chef des Médicis, Piero, qui songe à reprendre le pouvoir et qui intrigue dans ce but. Enfin, comme si ce n'était pas suffisant, les habitants de Pise sont en rébellion. Aussi, dans la grande cité de Florence, redevenue république, règne un climat d'agitation de funeste présage.

À 48 ans, Léonard entre dans une période que ses contemporains voient comme la dernière phase de la vie. Non pas tant parce que les gens, à cette époque, meurent souvent à la fin de la trentaine, mais parce qu'au XVIᵉ siècle les forces d'un individu déclinaient bien plus vite qu'aujourd'hui. Notre peintre n'est plus le jeune artiste plein de promesses, commençant à se faire connaître et pour lequel on prédisait un si brillant avenir. En dépit de leur dégradation, *La Cène* et la statue équestre, de même que d'autres ouvrages réalisés à Milan, l'ont rendu célèbre par toute l'Italie, et probablement dans toute l'Europe. Même si peu de gens ont eu la chance de consulter ses écrits, on sait que Léonard consacre beaucoup d'énergie à étudier les sciences, les mathématiques, ce qui contribue à lui forger une réputation d'homme de génie. Son retour dans la ville où il a passé sa jeunesse galvanise l'optimisme des Florentins, car, malgré son âge, il demeure enthousiaste, vigoureux, on attend beaucoup de lui. Cette joie de le revoir cependant ne semble pas partagée par un jeune esthète de 25 ans, aigre d'humeur, qui passe alors pour l'artiste le plus talentueux et prometteur de la ville, Michelangelo Buonarroti.

Sous plusieurs aspects, Léonard paraît différent, lui aussi, de l'homme qu'il était lors de son premier séjour à Florence. Ses qualités, qui impressionnaient si fort vingt ans plus tôt, ont évolué; c'est un homme fait maintenant, accompli, ses œuvres, plus ambitieuses, sont celles de la maturité, même si certaines d'entre elles restent inachevées, même si d'autres demeurent à l'état de projet. Le Vinci jouit en outre d'une formidable réputation d'ingénieur militaire, même si le More n'a suivi, pour ainsi dire, aucun de ses conseils à ce chapitre. On le considère comme un prodigieux architecte, bien que ses réalisations soient rares. Tous connaissent et louent ses talents de concepteur ou d'organisateur de grandes fêtes publiques (bien que cette activité ne l'amuse plus du tout). Enfin, sa passion pour les mathématiques, la physique, les sciences en général, s'est accrue au point où il se conduit à cet égard comme un amant n'attendant que le moment de retrouver les bras de sa belle.

Mais pour l'essentiel, si on oublie un instant sa fameuse réputation, ses passions, ses aptitudes même, Léonard n'a guère changé. Il demeure l'être prévenant et chaleureux qu'on a connu jadis, toujours loyal envers ses amis et ceux qui dépendent de lui, qu'il s'agisse de collègues artistes et savants, ou des gens de sa maison, comme les nombreux jeunes hommes et garçons de belle allure qui, semble-t-il, ont toujours vécu dans son entourage. Il lit encore beaucoup, cherchant sans cesse à élargir ses connaissances en littérature, en sciences, pour s'assurer que son art et ses études reposent sur un savoir qui, autant qu'il est possible, le garde des erreurs nées de l'ignorance. À ses yeux, les fautes les plus graves émanent d'esprits non encore affranchis de leurs préjugés. Certes, il lit pour apprendre des autres et se cultiver, mais il sait que les expériences répétées qu'on mène soi-même sont le plus sûr chemin pour atteindre la vérité. « Le plus fameux de tous les livres, j'entends l'univers, est là grand ouvert devant nos yeux », écrit-il.

Comme on s'en doute, Léonard ne peut mesurer avec précision l'influence subtile qu'exercent encore les savants d'autrefois sur l'évolution de sa pensée. À son époque, par exemple, la médecine et l'anatomie reposent pour l'essentiel sur l'enseignement d'un médecin grec du IIe siècle de notre ère, Galien, enseignement transmis et réinterprété au cours des siècles par plusieurs médecins arabes. Léonard cherche à corriger leurs erreurs, à ouvrir de nouvelles voies, mais la leçon des Anciens le marque encore, résonne en lui, malgré les efforts qu'il déploie pour s'en détacher. Certes, il est plus libre et beaucoup moins perméable aux préjugés que nombre de savants des siècles à venir, il n'en demeure pas moins attaché, si peu que ce soit, à certaines idées ou concepts généraux, qui ont sur sa pensée des effets dont il n'est absolument pas conscient.

En règle générale, les philosophies toutes faites de ses
prédécesseurs, leurs théories plus ou moins douteuses,
admises par le plus grand nombre, ne l'attirent pas, du
moins sciemment. Il n'entend pas non plus les reprendre
ou s'en inspirer quand vient le moment de tirer ses propres
conclusions. « Celui qui s'abreuve à la fontaine n'a pas
besoin d'aller à la cruche. » Il s'oppose à l'inutile enseignement de ses contemporains, reprenant sans cesse ses expériences pour s'assurer de l'exactitude de leurs résultats. Il
ne craint pas de passer pour un « illettré », bien au contraire, il en tire même une certaine fierté, car il pense ainsi
n'être pas influencé par des jugements autres que les siens,
lesquels se fondent sur des observations objectives. Sans
détour, il juge ceux qui s'inspirent des idées de leurs prédécesseurs pour asseoir leurs convictions ; quelques années
plus tôt, il a noté dans un de ses cahiers :

> Je sais bien que, du fait que je ne suis pas un lettré, certains
> présomptueux se croiront en droit de me critiquer, en allé-
> guant que je suis un homme sans lettres. Stupide engeance !
> Ignorent-ils que je pourrais leur répondre comme Marius aux
> patriciens romains : ceux qui se parent des travaux d'autrui
> prétendent contester les miens. Ils soutiendront que mon
> inexpérience littéraire m'empêche de m'exprimer comme il
> faut sur les sujets que je traite. Ils ne savent pas que ceux-ci
> requièrent moins les paroles d'autrui que l'expérience,
> maîtresse du bon écrivain : c'est elle que j'ai choisie pour
> maîtresse et je ne cesserai de m'en réclamer. Puisque je ne

peux pas, comme eux, citer d'autres auteurs, je me fierai à ce qui est plus grand, plus solide, soit à l'expérience, maîtresse de leurs maîtres. Ceux-là vont, pompeux et suffisants, parés des fruits d'un travail qui n'est pas le leur. Et ils ne me permettront pas de faire comme je l'entends. Comme inventeur, ils me mépriseront, mais combien, et plus que moi, ceux qui ne sont pas des inventeurs, mais des récitateurs et des détracteurs, mériteraient la censure.

Toutefois, avec le temps, Léonard prend conscience que ses lectures, la formation qu'il s'est donnée, ont fait de lui un homme de vaste culture littéraire, malgré ses lacunes en latin. « Je possède tant de mots dans ma langue maternelle, que je devrais plutôt me plaindre de mal comprendre les choses que de manquer de termes capables de me permettre d'exprimer justement mes pensées. »

Il est cependant un autre trait de caractère qui n'a guère changé chez lui ; il semble toujours incapable de terminer les œuvres qu'on lui commande. À cet égard en fait, le phénomène s'aggrave au lieu de s'atténuer. À mesure que s'accroît son intérêt pour les sciences, tout ce qui retarde ses recherches ou l'empêche de se consacrer exclusivement à ses inventions, l'agace de plus en plus. J'en veux pour exemple un projet qu'il accepte de réaliser peu de temps après son arrivée à Florence.

Les frères servites de l'Annunziata avaient commandé pour leur autel un retable à l'artiste Filippino Lippi, qui, apprenant que le Vinci est intéressé à l'exécuter lui-même,

laisse aussitôt sa place. Les moines reçoivent donc le très
révéré maître, l'installent avec ses gens dans leur monastère
et s'engagent à payer les dépenses de tout le monde. Vasari
décrit la suite des événements de cette façon :

> [Leonardo] tint longtemps les moines en haleine sans rien
> commencer. Finalement, il exécuta un carton, où l'on voit la
> Vierge, sainte Anne et le Christ. Il ne fit pas seulement l'admi-
> ration des artistes. Dans la salle où il l'avait achevé, il y eut
> deux jours durant un défilé d'hommes et de femmes, jeunes
> et vieux, pour le voir. Ils y venaient comme aux grandes fêtes,
> pour admirer les prodiges de Léonard, objets de l'émerveille-
> ment populaire. […] [Ensuite] il peignit le portrait de Gine-
> vra, fille d'Amerigo Benci, un fort bel ouvrage, et abandonna
> le travail des moines servites.

On ne sait au juste pourquoi Léonard laisse tomber ce
travail et en commence un autre, mais son comportement
est caractéristique. Selon toute vraisemblance, il n'achève
pas non plus le portrait de Ginevra ; il faut croire qu'on
aura perdu les esquisses. Certains spécialistes estiment que
Vasari se trompe ici et que le portrait de la fille de Benci
date plutôt du premier séjour de Léonard à Florence. Cela
importe peu. Qu'il s'agisse du portrait de Ginevra ou d'un
autre, le Vinci achève rarement ses œuvres ; à ses yeux, elles
demeurent imparfaites. En effet, il est fréquent que l'artiste
juge inachevée telle peinture que les autres trouvent
impeccable, car l'idée qu'il se fait de la perfection repose

sur des critères trop élevés pour le commun des mortels. Vasari formule cela de façon plus précise : « Son intelligence de l'art lui fit commencer beaucoup de choses, mais n'en finir aucune, car il lui semblait que la main ne pourrait atteindre la perfection rêvée. Il concevait des problèmes si subtils et si étonnants que ses mains, pourtant si habiles, ne pouvaient les formuler. »

Il reste que ces quatre années à Florence furent très productives, si on tient compte de la quantité de peintures exécutées dans l'atelier de Léonard, et sous sa supervision, durant cette période. Bien qu'il en subsiste peu de nos jours, on possède assez de témoignages pour affirmer que Léonard, malgré sa réticence à peindre, réalise alors bon nombre d'œuvres.

On sait aussi à quoi il s'occupait pendant ce deuxième séjour à Florence, comme on l'a vu dans la lettre, écrite en 1501 par Pietro di Novellara, adressée à Isabelle d'Este et citée dans le premier chapitre. Les Florentins n'ignorent pas que le maître ajoute de temps à autre deux ou trois touches de pinceau à des toiles exécutées en son nom par ses apprentis et qu'il a généralement l'esprit ailleurs.

Cela dit, s'il cherche à s'éloigner de la peinture pour se consacrer à de nouvelles recherches, il lui faut tout de même gagner sa vie. Bientôt, une occasion d'accroître substantiellement ses revenus s'offre à lui, suite aux bouleversements politiques continuels qui secouent le pays, bouleversements provoqués, cette fois, par César Borgia, celui-là même que Machiavel a immortalisé dans *Le Prince*.

En 1501, le pape Alexandre VI attribue à son fils naturel, le très déloyal César, le titre de duc de Romagne, vaste région du centre de l'Italie. Auparavant, dans le but d'assurer l'avenir de ce fils ignoble, il l'avait fait archevêque de Valence à 16 ans et cardinal l'année suivante. Mais même en ces temps troubles de corruption et de tromperies, le cynisme a ses limites, et César, personnage débauché au possible, reconnaît qu'il n'est pas fait pour la vie ecclésiastique. Sa soif de pouvoir est si âpre, qu'il renonce à la prêtrise et remplace la mitre par un casque de guerrier, résolu qu'il est de devenir le chef d'une dynastie par tous les moyens, c'est-à-dire en usant de la perfidie et de la cruauté nécessaires pour soumettre les provinces et les villes à son autorité despotique. Pour ce faire, il a besoin d'un architecte et d'un ingénieur militaire efficace.

Au moment où Borgia invite Léonard à occuper ces fonctions, il vient de remporter plusieurs batailles, il est réputé pour la sournoiserie de ses manœuvres militaires et la cruauté de sa politique. Réunissant sous un même titre toutes ses prétentions, il se nomme lui-même, non sans emphase : « César Borgia de France, par la grâce de Dieu duc de Romagne, de Valence et d'Urbino, prince d'Andria, Seigneur de Piombino, de Gonfaloniere et capitaine général de la Sainte Église romaine. » Il se dit « de France » sous le prétexte un peu court qu'il a épousé Charlotte d'Albret, sœur du roi de Navarre, et qu'à l'occasion de leur mariage Louis XII lui a offert le duché de Valence.

On pourrait penser qu'un être pacifique comme Léonard, qui répugne à toute conspiration politique, refusera de se mettre au service d'un semblable tyran. Du tout. Il est encore cet homme qui décrivait naguère à Ludovic les armes de sa conception ; le même qui, depuis des lustres, s'intéresse aux mécanismes de toutes sortes et qui dessinera des machines jusqu'à la fin de ses jours. Il est en outre très pragmatique. Il lui faut gagner sa vie et soutenir ceux qui dépendent de lui. Mais avant tout, il aimerait jouir d'une sécurité financière qui lui permettrait de poursuivre ses recherches sans être obligé, constamment, de les délaisser pour gagner son pain. À ses yeux, le fait de se mettre au service de Borgia procède d'une décision tout à fait raisonnable. Il a déjà rempli de semblables fonctions et il le fera encore dans l'avenir. L'intrigue, la politique, la soif de pouvoir ou les questions idéologiques n'entrent pas ici en ligne de compte ; son seul mobile est d'acquérir assez de liberté financière pour devenir pleinement lui-même, c'est-à-dire se consacrer à ses travaux.

César lui demande de passer en revue toutes les places fortes de son duché et d'entreprendre les transformations ou les réparations qui s'imposent. Les conseils de l'ingénieur général sont si bien suivis qu'ils inspirent probablement

Nicolas Machiavel à écrire, en octobre 1502, depuis la Romagne où il se trouve, un commentaire qui se lit comme suit : « Le duc a tellement d'artillerie, et en si bon état de marche, qu'à lui seul il en possède presque autant que toute l'Italie. » Léonard va d'une ville à l'autre, à mesure qu'elles tombent aux mains de Borgia ou que celui-ci s'en empare par la ruse. Il ne se contente pas d'exceller en génie militaire, il met ces voyages à profit en étudiant la topographie des régions qu'il traverse, il dresse des cartes et élabore des méthodes pour assécher les marais. Il se consacre à cela au cours de l'été de 1502 et l'hiver suivant, puis retourne à Florence, quand Borgia met un terme à sa campagne militaire et rentre à Rome, en février 1503. Malheureusement, ce travail n'enrichit pas notre homme comme il l'avait souhaité ; le 4 mars de la même année, il retire de son compte bancaire 50 florins d'or et n'y dépose rien. Quant à César, il connaîtra bientôt une série de revers et une mort indigne dans une embuscade tendue par des rebelles navarrais, en 1507.

Les Florentins entendent eux aussi tirer avantage des talents de Léonard en matière de génie militaire. En juillet 1503, les autorités lui confient la tâche de conseiller les troupes qui assiègent Pise. Il dresse des plans, envisage de détourner l'Arno et de creuser un canal pourvu d'écluses dans le but, d'une part, de priver la ville assiégée de son alimentation en eau et, par ailleurs, d'offrir à Florence un débouché sur la mer. Dès le mois d'août, des terrassiers commencent à creuser, mais, pour des raisons obscures, on abandonne le projet deux mois plus tard.

Bientôt, Léonard se remet à pratiquer des autopsies à l'Hôpital Santa Maria Nuova (certains biographes soutiennent qu'il les a reprises dès son retour en 1500 et 1501). Il habite alors tout près de l'hôpital en question ou, comme le croient certains commentateurs, dans les lieux mêmes. Maintenant fort habile à ce travail, il est en mesure de faire des observations plus fines, qui lui auraient probablement échappé quelques années auparavant. À n'en pas douter, cette aptitude accrue redouble son intérêt pour ce genre d'études, qui l'absorbent bientôt tout entier. Dans ses carnets, il raconte avoir rencontré à l'hôpital un vieillard de cent ans — d'après les dires de ce dernier — qui se porte bien. Mais peu après, cet homme meurt un jour qu'il se trouvait assis dans son lit, et Léonard, qui pratique l'autopsie « pour connaître la cause d'une mort si douce », découvre qu'elle est « consécutive à la faiblesse produite par la défaillance du sang et de l'artère qui nourrit le cœur et les autres membres inférieurs, que je trouvai tout parcheminés, ratatinés et flétris ». Bien entendu, il prend soin de noter toutes ses observations et ajoute ensuite, d'une manière plus nette encore : « Durant la vieillesse, les parois des vaisseaux sanguins ont tendance à s'épaissir et, partant, à obstruer la circulation du sang ; en raison de ce manque d'irrigation, le vieillard décline peu à peu et quitte la vie dans une mort lente, sans fièvre du tout. »

Il est stupéfiant de trouver pareille réflexion sous sa plume, car Léonard décrit là ni plus ni moins que l'athérosclérose de l'aorte, et peut-être même l'obstruction des artères coronaires, et ce des siècles avant que les médecins ne les découvrent à leur tour. Ce qu'il entend par « l'artère qui nourrit le cœur » prête à l'interprétation, mais il est fort probable, vu la précision de ses études ultérieures en cette matière, qu'il ait déjà compris que les artères coronaires, partant de l'aorte, irriguent le cœur. Quoi qu'il en soit, il a clairement vu que la faiblesse des membres inférieurs est due à une mauvaise circulation du sang, elle-même causée par l'obstruction des artères. Léonard fait cette découverte à une époque où les professeurs de médecine, s'appuyant sur l'enseignement de Galien, vieux de 13 siècles, croient encore que le sang rejoint les extrémités du corps, en empruntant un réseau de veines gouverné par le foie.

Pour dire vrai, le hasard a un peu favorisé ces nouvelles observations, car, au moment où Léonard fait l'autopsie du vieillard, il en pratique une autre sur le corps d'un enfant de deux ans. Il a sans doute étudié longuement les différences entre les vaisseaux sanguins de ses deux sujets et comparé l'état des membres et des organes que ces vaisseaux irriguaient. Suite aux découvertes effectuées en anatomie pathologique depuis deux siècles et demi, il nous paraît naturel d'en arriver à de telles conclusions, mais il est peu probable qu'en 1503 un autre médecin aurait obtenu de ses observations des résultats aussi justes et précis.

Au cours de ce deuxième séjour à Florence, un vrai combat de titans fut sur le point de se produire, opposant le Vinci à Michel-Ange, lequel concevait une antipathie certaine à l'endroit de son aîné. Jusque-là, leurs joutes demeuraient essentiellement verbales. Celui qu'on appelle l'Anonyme Gaddiono rapporte à ce propos deux anecdotes. Selon la première, Léonard aurait suggéré à des gens qui discutaient sur une place de s'adresser à l'ombrageux Michel-Ange — de 23 ans son cadet — pour leur expliquer tel passage de Dante, ce à quoi le jeune artiste, passant par là, aurait répondu : « Explique-les toi-même, toi qui as fait le modèle d'un cheval que tu n'as pas été capable de couler en bronze et que, pour ta honte, tu as abandonné. » Là-dessus, le jeune homme tourne les talons, laissant l'autre rougissant et sans voix. L'Anonyme relate aussi que Michel-Ange serait allé jusqu'à railler son adversaire en lui lançant : « Et ces idiots de Milanais t'ont fait confiance ? » Il semble que la présence, l'existence même du Vinci, exaspère Michel-Ange et il y a tout lieu de croire que ce sentiment est partagé, même par un être aussi patient que Léonard et malgré la tolérance qu'on lui connaît.

Lorsque les autorités de la ville projettent de décorer la grande salle du Conseil, qu'on vient juste de construire, ils se tournent tout naturellement vers nos deux artistes pour exécuter de grandes murales. Ainsi, Léonard doit illustrer un épisode de la bataille d'Anghiari, au terme de laquelle les Florentins battirent les Milanais en 1440, et Michel-Ange doit représenter un corps d'armée florentin, surpris au bain par ses ennemis de Pise, juste avant de livrer une autre bataille.

Léonard fait de nombreux plans avant de se mettre au travail, il prend des notes, à travers lesquelles se dégage toute une philosophie de la peinture qui, selon lui, doit saisir un instant dramatique propre à exprimer l'émotion ressentie par les sujets mis en scène.

Fais les vaincus pâles et défaits, les sourcils hauts et froncés, et le front sillonné de rides douloureuses, et les côtés du nez plissés, formant une courbe depuis les narines jusqu'aux yeux, les narines béantes, les lèvres découvrant les dents supérieures, avec une expression de plainte et de lamentation. Et tu feras un homme protégeant d'une main ses yeux terrifiés, la paume tournée vers l'ennemi, tandis que d'autres hommes, tombés à terre, tenteront de se relever à moitié […] Les mourants grinceront des dents, les prunelles révulsées, labourant leur corps du poing et les jambes tordues. Tu pourras figurer un combattant désarmé et terrassé qui, tourné vers son adversaire, le mord et le griffe, par vengeance cruelle et amère. […] Ou encore quelque estropié tombé à terre, se couvrant de son bouclier, et l'adversaire penché sur lui portera le coup fatal. Plusieurs vainqueurs quitteront le combat ; ils sortiront de la mêlée en essuyant des deux mains, sur leurs yeux et leurs joues, l'épaisse couche de boue due au larmoiement causé par la poussière.

Tout en accumulant les retards habituels, Léonard travaille à ses esquisses deux années environ et attaque la fresque elle-même vers la fin de 1505. Une fois de plus, il rencontre certains problèmes techniques. On pense que l'enduit sur lequel il applique sa peinture était de mauvaise qualité ou mal préparé ; toujours est-il que les couleurs de la partie supérieure se mettent à couler quand le peintre entreprend de les sécher sous un grand feu de charbon. Il aurait sans doute pu réparer les dégâts, mais il abandonne le projet et n'y revient jamais après cela, sous le prétexte, croient certains, qu'il s'intéresse alors à ses recherches sur le vol des oiseaux. Ceux qui se rangent à cet avis en veulent pour preuve que Léonard rédige, entre la mi-mars et la mi-avril de 1505, les pages qu'on réunira en un traité intitulé précisément *Sur le vol des oiseaux*. Il est intéressant de savoir que Michel-Ange, lui non plus, n'achèvera jamais sa murale, laissant son ouvrage à l'état d'esquisse.

Au fond, il est regrettable pour l'humanité tout entière que ces œuvres monumentales n'aient pas vu le jour. D'abord parce que les deux murales devaient se faire face, dans la même salle ; ensuite, parce que cela aurait permis à la postérité de mesurer en même temps, presque d'un coup d'œil, comment les deux artistes traitaient le corps humain en mouvement. Michel-Ange, on le sait, illustre l'action en représentant les muscles tendus, contractés. Tandis que pour Léonard, l'action procède certes des forces dites mécaniques, mais elle exprime aussi une psychologie sous-jacente, qui est la marque de son génie particulier. Il sait que le mouvement trouve son origine dans l'esprit et qu'il convient d'illustrer l'*intention* du sujet d'une manière ou d'une autre. Aussi, on ne doute pas qu'il s'adresse à son ancien rival, lorsqu'il écrit, en 1514 : « Ô toi, peintre anatomiste, méfie-toi d'exprimer toute l'émotion de tes nus par des os, des muscles et des tendons trop marqués, sinon tu deviendras un peintre de bois. » À propos des gravures et esquisses préparatoires à *La bataille d'Anghiari*, un ancien directeur de la National Gallery de Londres faisait, en 1922, la réflexion suivante devant les membres de la British Academy : « Avec Léonard de Vinci, comme toujours, l'intention, le mobile, est d'ordre psychologique. Il veut illustrer ici ce qu'il appelle la "fureur bestiale", qui s'empare de l'homme à la guerre, et son dessin, empreint d'animalité, de vigueur turbulente, annonce déjà celui de Rubens. Même les chevaux sont gagnés par la rage des cavaliers et se mordent entre eux. »

Suite à cet échec, Léonard propose aux autorités de rembourser les sommes qu'on lui a versées, mais, soit par dépit, soit par mécontentement après de si longs délais, on refuse son argent. Sur les entrefaites, Charles d'Amboise, que Louis XII a nommé gouverneur du Milanais, demande aux Florentins la permission de retenir les services du maître pour trois mois. On rechigne, on proteste un peu, mais finalement on accorde cette autorisation. C'est ainsi que, vers la fin de 1506, ou au début de l'année suivante (certains penchent plutôt pour octobre 1508, après l'intronisation du pape Léon X), Léonard retourne dans le duché où il a rendu jadis de si nombreux services à Ludovic Sforza.

Mais avant de le suivre jusque-là, il nous faut rapporter quelques événements survenus plus tôt. Le premier de ceux-ci est la mort, en juillet 1504, de ser Piero da Vinci, à l'âge de 77 ans, qui laisse dans le deuil dix fils et deux filles. On trouve aussi, dans les carnets de Léonard, une note de la même année faisant état du décès d'une certaine Caterina. La note est accompagnée d'une liste de dépenses engagées lors de la maladie de cette femme et pour ses obsèques. On ne saura probablement jamais si cette dame était la mère de Léonard ou une servante vivant chez lui. Certains biographes tiennent pour la mère, d'autres affirment le contraire, et d'autres encore, sûrs de ne pas se tromper, estiment qu'il est impossible de le savoir. Cela dit, s'il s'agissait bien de la mère de l'artiste, on pourrait supposer qu'il est resté en contact avec elle toutes ces années, bien qu'il n'en fasse mention nulle part ailleurs dans ses cahiers. De plus, si cette dame était vraiment sa mère, il est probable qu'elle l'ait inspiré au moment de peindre *La Joconde*, comme on le verra plus loin.

Un autre événement mérite d'être signalé, qui se rapporte justement à ce fameux portrait. Pour cela, nous ouvrons la pénétrante monographie de Walter Pater, publiée en 1869, et que Kenneth Clark qualifiera 70 ans plus tard d'étude «monumentale, en regard de laquelle tout ce que la critique anglaise pourrait écrire [et il s'inclut dans le raisonnement] paraîtra terne ou superficiel.»

L'ouvrage laudatif que Walter Pater a consacré à Léonard plonge le lecteur dans un état de réceptivité quasi surnaturel. En effet, l'auteur se hisse à un niveau sensible, en deçà duquel il serait difficile de pénétrer les sphères où s'épanouissait le génie du Vinci. Avec Pater, le lecteur a l'impression de sentir l'état de concentration intime et permanent de l'artiste, libéré des contingences de la vie courante, ce que ses proches, pour peu qu'ils fussent attentifs, devaient sans doute percevoir chez lui. «Il semblait, à ceux qui l'entouraient, que Leonardo était à l'écoute d'une voix intérieure, refusée aux autres hommes. [...] Pour ses contemporains, il possédait, semble-t-il, une sorte de sagesse profane, secrète et mystérieuse.» Avec ces deux courtes phrases, le célèbre critique d'art capte l'essence d'une puissance de concentration qui va bien au-delà des qualités intellectuelles supérieures, au-delà même de cette curiosité aiguë dont Freud parlera plus tard. Cette voix intérieure avait ses rythmes, ses intonations, dont *La Joconde* est la plus parfaite expression. À propos du visage de Mona Lisa, Pater nous fait remarquer ceci : « Il s'agit d'une beauté façonnée de l'intérieur, qui sourd, affleure sur la chair, d'étranges pensées et d'exquises passions déposées, cellule par cellule, sur la surface du tableau. [...] Toutes les pensées et l'expérience du monde sont inscrites et fondues ici. »

Si le sourire de *La Joconde* est, comme Kenneth Clark le décrit, « l'ultime expression de cette vie intérieure complexe et fixée sur la toile, ce que Leonardo affirme être l'un des principaux objectifs de l'art », alors une ou deux questions toutes simples viennent à l'esprit : Quelle peut être cette vie intérieure qui confond les observateurs depuis des siècles et qu'ils ont tant de mal à formuler ? Que regardons-nous lorsque nous contemplons ce visage apparemment impénétrable, qui lui-même nous scrute droit dans les yeux depuis la toile, comme s'il communiait avec quelque chose au profond de nous, que nous-mêmes ne saisissons pas ?

Pater est probablement celui qui s'approche le plus de la réponse. À propos du jeune Léonard de la première période florentine, il dit : « Léonard a pris connaissance là-bas du pouvoir d'une certaine présence intime dans les choses qu'il maniait. » Quant à expliquer de quelle nature était cette présence, il en est réduit aux hypothèses. Celle qu'il avance cependant, il la formule d'un ton très catégorique, comme s'il ne subsistait aucun doute dans son esprit. À cet égard, il est nécessaire de rappeler sa réflexion sur « le mélange de dégoût et de ravissement devant le spectacle de la laideur et de la beauté ». Toute la vie du Vinci, toute son expérience en somme, tient dans l'épisode survenu jadis dans les collines près de Florence. C'était comme « l'entrée d'une immense caverne », où peur et désir se mêlaient, attiraient et rebutaient dans le même temps. Dans son analyse de *La Joconde*, Kenneth Clark nous porte juste un peu plus loin, même s'il ne semble pas avoir conscience, lui-même, du chemin qu'il vient de parcourir. « Cette peinture, dit-il, est si pleine des démons de Léonard, qu'on oublie qu'il s'agit d'un portrait. [...] L'artiste considère la beauté physique de son modèle comme une chose mystérieuse, presque repoussante, comme un enfant ressent l'attirance physique de sa mère. » Voilà qui nous ramène à Freud et renvoie aussi aux commentaires de Pater, lequel écrivait, rappelons-le, 55 ans avant que le père de la psychanalyse ne se penche sur le cas du Vinci.

Pour lors, il est nécessaire de revenir plus loin en arrière, avant Pater, avant même Vasari qui, sur la genèse de *La Joconde*, est celui qui a fourni presque tous les renseignements qu'on possède. Il faut retourner au modèle lui-même. À 16 ans, Mona Lisa di Anton Maria Gherardini devient la troisième épouse de Francesco del Giocondo, âgé, lui, de 35 ans. En 1503, qui est probablement la deuxième des quatre années au cours desquelles Léonard travaille épisodiquement à son portrait, Mona Lisa a 24 ans. Vasari raconte que, durant la pose, Léonard faisait venir « chanteurs et musiciens, et des bouffons sans interruption, pour la rendre joyeuse et éliminer cet aspect mélancolique que la peinture donne souvent aux portraits ». On ne peut faire autrement que de se demander, comme Kenneth Keele l'a fait, et Freud avant lui, pourquoi un peintre illustre, si occupé, choisit pour modèle cette femme-là, alors que « tant d'autres dames plus riches et célèbres se languissaient de poser pour lui », précise Keele, y compris des membres de la plus haute noblesse ? On peut également se poser une autre question : pourquoi Léonard n'a jamais remis le portrait à Giocondo et l'a gardé avec lui jusqu'à sa mort ? À cela, le Vinci répondait que le tableau était inachevé et sans doute devons-nous le croire sur ce point, à la lumière des explications de Vasari relatives à l'idée que le maître se faisait de la perfection.

Oui, pour un perfectionniste comme lui, cette explication devait sembler véridique et loyale. Il reste qu'il est difficile de croire qu'il a pu conserver, sans rencontrer de résistance, une toile que Mona Lisa et son mari trouvaient certainement excellente et parfaite à tous égards. Dans le fond, il devait y tenir terriblement et l'estimer inachevée, parce qu'il avait à l'esprit une image idéale, que sa main même ne pouvait représenter.

C'est peu dire que les interprétations ou les analyses de *La Joconde* sont légion, et la mienne ne sera certainement pas la dernière. Freud, on le sait, affirme que «cette toile renferme la synthèse de toute l'enfance de Léonard». D'après lui, le sourire que le peintre surprend sur le visage de Mona Lisa, tandis qu'on la divertit par de la musique ou des mots d'esprit, éveille le souvenir de sa propre mère. Pour sa part, Keele, un médecin, observe attentivement le tableau et va encore plus loin, déclarant que certains détails prouvent que la jeune femme était enceinte au moment de la pose ; son sourire, dit-il, est celui d'un bien-être profond, le sourire d'une femme qui ressent une satisfaction intime, face au miracle de la vie qui se développe en son sein. Qu'on le suive ou non jusque-là, force est de reconnaître que la thèse de Keele est impressionnante. Il examine la position des mains, note qu'elles sont légèrement gonflées, ce qui expliquerait l'absence d'anneau nuptial au doigt d'une femme mariée, issue de la bonne société. L'attitude des mains justement, le fait que les vêtements soient tendus aussi, lui donnent à penser que l'artiste et le modèle se sont mis d'accord pour dissimuler de façon discrète l'arrondi du ventre.

Keele appuie en outre sa thèse sur les nombreux dessins anatomiques de Léonard, où sont illustrés les processus de la reproduction et de la grossesse, depuis la fameuse *Anatomie du coït* jusqu'au dessin, plus réussi encore, montrant le fœtus dans la matrice. À sa thèse, fondée sur un raisonnement solide, il joint une description des lacs et des montagnes derrière le modèle et fait remarquer qu'un tel rapprochement, entre sujet et décor, existe dans deux autres œuvres ayant pour thème la maternité, soit *La Vierge aux rochers* et *Sainte Anne, la Vierge et l'Enfant.*

À l'instar de bien d'autres personnes, je suis profondément convaincu que Léonard, avec *La Joconde*, glorifiait la maternité, une maternité idéale et, par le fait même, qu'il évoquait de façon peut-être inconsciente les premières années de sa propre existence, quand il était le seul objet d'amour de sa mère, qu'il s'agisse de Caterina, de la tendre Albiera ou des deux à la fois. Toute l'ambiguïté de ce tableau est ici, entre l'attirance et le rejet, ce que Pater, Clark — et Freud assurément — posent comme principe. Et toute l'énigme y est aussi. Cependant, je me suis posé une autre question, qui m'est venue en relisant l'argumentation de Freud, relative aux causes de l'homosexualité chez certains hommes, hypothèse retenue jusqu'à tout récemment par la grande majorité du corps psychanalytique. Même aujourd'hui, où on a tendance à accorder plus d'importance à l'aspect biologique, et tout particulièrement génétique du phénomène, la thèse de Freud résiste à la critique. Comme tant d'autres de ses propositions, rejetées de nos jours par certains spécialistes, celle-ci se révèle pleine d'enseignement, dès lors qu'on entreprend de chercher le sens caché du comportement humain.

Je la résume en quelques mots. Freud soutient qu'un jeune garçon, se sentant menacé par un amour maternel envahissant, peut chercher à se défendre en refoulant son propre amour et en prenant la place de sa mère. Il s'identifie alors à elle et, en un sens, s'y substitue. Il devient l'objet de son propre amour. Comme Narcisse.

Étant entendu que *La Joconde* représente une idéalisation de la maternité ; étant donné, d'autre part, qu'elle est « toute pleine des démons de Leonardo », comme le soutient Kenneth Clark ; compte tenu du fait, par ailleurs, que Walter Pater dit de cette image « qu'elle se définit depuis l'enfance sur la trame de ses rêves » — avant de demander : « Par quelles curieuses affinités le rêve et l'individu ont-ils pu grandir séparément tout en demeurant si proches ? » ; compte tenu de tout cela, dis-je, on peut difficilement exclure la conclusion selon laquelle *La Joconde* est l'ultime expression de la vie intérieure d'un homme ayant pour credo que le plus grand art est celui qui « exprime les passions de l'âme ». Par cette formule, Léonard n'entend pas juste l'âme de son modèle, mais plus encore celle de l'artiste. Autrement dit, non pas seulement l'âme de la mère, mais celle du fils aussi. *La Joconde*, mère sublimée du Vinci, est également, je le crois, un portrait de Léonard lui-même, de cet homme possédant « une sorte de sagesse profane, secrète et mystérieuse » qui nous sourit de cette manière énigmatique. Le peintre est lui-même le sujet de son art.

À bien des égards, peindre un portrait est une activité analogue à celle qui consiste à écrire une biographie ; même les mots qu'on emploie pour désigner le travail littéraire témoignent des similitudes qui existent entre les deux activités. On « peint » le sujet de son étude, on le « dépeint », on « décrit » sa vie, et il est plusieurs autres formules du même type. Samuel Taylor Coleridge parlait en fait de ces deux occupations, en définissant la seconde : « Quand un homme cherche à décrire le caractère d'un autre, il peut avoir raison, il peut se tromper, mais invariablement il réussit à se décrire lui-même. » Et c'est bien cela que j'avance à propos de Léonard et de *La Joconde*. Léonard peignait sa mère et lui-même. En était-il conscient ? En avait-il l'intuition ? On peut le supposer, sans plus. L'auteur créait une biographie en même temps qu'une autobiographie.

CHAPITRE 5

Milan, 1506-1513
Rome, 1513-1515
Amboise, 1516-1519
De 54 à 67 ans

Pour Léonard, l'invitation de Charles d'Amboise à séjourner trois mois dans le Milanais équivaut presque à une délivrance. C'est un répit, en tout cas. L'échec de *La bataille d'Anghiari* devait causer pas mal de mécontentement au sein de la population florentine, car on savait bien que le maître courait à ses études scientifiques et mathématiques au lieu de se consacrer à son travail. Outre cela, sur le plan politique, la situation est nettement plus stable à Milan qu'elle ne l'est dans la république de Florence, et beaucoup moins tourmentée qu'elle ne l'était à l'époque de Ludovic. L'empereur Maximilien Ier vient de reconnaître le roi de France comme seul duc de Milan, et les troupes françaises, qui cantonnent sur place, protègent la ville contre toute invasion étrangère.

On ne sait si Charles d'Amboise presse Léonard de rester ou si ce dernier prie l'autre de le garder à son service, mais très vite il est clair que le séjour va se prolonger bien au-delà des trois mois prévus au départ. Lorsque Louis XII entre lui-même à Milan, en mai 1507, Léonard réside en ville depuis au moins six mois. Déjà, on lui a décerné le titre officiel de peintre et d'ingénieur de la maison, attaché à la couronne. Il est à peu près certain que Vasari fait allusion à cette période quand il écrit que, « pour la venue du roi de France à Milan, on demanda à Leonardo une invention originale ; il fabriqua un lion [automate] qui, après quelques pas, s'ouvrait la poitrine qu'il montrait pleine de lis ». Léonard participe donc, une fois de plus, à l'organisation des festivités, mais il n'en est plus le maître d'œuvre.

Les six ans qu'il passe au service du roi de France sont les plus paisibles qu'il connaît depuis 1482, année où il se plaçait sous la protection des nobles et commençait à servir les Sforza. Non seulement est-il dans les bonnes grâces de Charles d'Amboise, qui l'apprécie énormément, mais, ce qui n'est pas négligeable, on le rémunère maintenant de façon régulière, raison pour laquelle, sans doute, il lui est loisible de se consacrer à l'étude des sciences avec assiduité.

Grâce à des revenus fixes, il n'est plus obligé d'accepter des commandes, qu'il aurait probablement abandonnées, comme tant d'autres. Hormis le célèbre autoportrait sépia qu'on reproduit si souvent de nos jours, il ne semble pas qu'il ait exécuté un seul ouvrage d'art notable durant ce séjour prolongé à Milan. Bien que ce portrait montre un homme apparemment plus âgé que Léonard ne l'est en réalité (il a environ 60 ans), il conserve encore les beaux traits de sa jeunesse et son visage semble celui d'un sage, toujours serein, presque auguste.

À Milan, Léonard peut enfin donner libre cours à sa passion toujours croissante pour l'anatomie. Durant cette période, ses recherches font un bond considérable grâce à la présence d'un tout jeune professeur au talent remarquable et remarqué, Marcantonio della Torre, qui se lie d'amitié avec lui. Della Torre, qui avait obtenu la chaire de théorie médicale à l'Université de Padoue à l'âge de 25 ans, est alors invité à Pavie pour y fonder une école d'anatomie. Certains biographes pensent que les deux hommes se sont peut-être rencontrés une première fois à Florence, en 1506, et d'autres affirment que leur amitié ne débute qu'à la fin du séjour de Léonard à Milan, soit vers 1510. Quoi qu'il en soit, ils n'ont pu travailler ensemble bien longtemps, car della Torre est emporté par la peste à Riva, en 1511 ou 1512, ville où il se rend pour soulager des gens touchés par l'épidémie.

Della Torre a beau avoir 30 ans de moins que Léonard, une telle différence d'âge n'est pas rédhibitoire pour un autodidacte résolu à étendre ses connaissances. Aujourd'hui, aucun ouvrage du jeune professeur ne subsiste, de sorte que rien ne prouve les allégations de Vasari selon lesquelles Léonard devait se borner à illustrer les traités de l'autre, à partir des autopsies qu'il avait pratiquées. Il est plus vraisemblable que les deux savants traitent d'égal à égal. Aussi est-il difficile de mesurer quelle influence l'un exerce sur l'autre exactement. Les spécialistes actuels doutent que della Torre ait eu de l'ascendant sur Léonard, compte tenu du fait que les recherches anatomiques de ce dernier sont déjà bien avancées au moment où ils se rencontrent. Le jeune professeur s'emploie probablement à stimuler son aîné, à l'encourager dans son travail ; il l'engage peut-être — sans grand succès, il faut le reconnaître — à mettre un peu d'ordre dans ses papiers, à suivre un plan de travail plus rigoureux ou, du moins, à acquérir un minimum de discipline. Cela dit, on peut affirmer, sans grand risque de se tromper, que leur collaboration permet à Léonard d'améliorer ses méthodes de dissection et d'en mieux interpréter les résultats, car ses travaux ultérieurs sont plus fins, plus précis, qu'ils ne l'étaient jusque-là.

Au fond, Léonard est trop indépendant et assez convaincu du bien-fondé de son travail d'observation pour se laisser influencer outre mesure par della Torre, toujours attaché, lui, à l'enseignement de Galien, lequel se basait, pour l'essentiel, sur des dissections d'animaux, ce qui entraînait, bien entendu, nombre d'erreurs tant sur le plan des concepts généraux que dans les détails. Il faut également souligner que la nomenclature des organes et des parties du corps dressée par Léonard s'inspire davantage de l'enseignement des médecins arabes, alors que, selon des témoins, della Torre utilisait une terminologie grecque. Ce qui nous donne à penser que Léonard s'instruisait beaucoup plus en lisant des textes récents — fortement influencés par l'enseignement des arabes — qu'en suivant les leçons de son ami. Comme dans les autres champs intellectuels, Léonard retient les éléments qui lui servent, puis poursuit son travail à sa guise, sans se soucier de la tradition.

Dans l'ouvrage publié après sa mort sous le titre *Traité de la peinture*, il parle de son intention de faire paraître un traité d'anatomie en bonne et due forme ; il estime qu'il sera prêt au printemps de 1510. Peut-être della Torre le pousse-t-il à s'engager dans ce projet, mais, comme il est prévisible, le livre ne verra jamais le jour, du moins pas du vivant de l'artiste. En fait, la grande majorité des manuscrits anatomiques du Vinci ne seront découverts qu'au XVIIIe siècle, au château de Windsor, et les savants devront attendre jusque-là pour les consulter.

Il n'en demeure pas moins que Léonard songe sérieusement à mettre de l'ordre dans ses notes éparses, comme le confirme un autre écrit de sa main, conservé celui-là au British Museum et rédigé à la même époque. Léonard se trouve alors de passage à Florence, où il engage des procédures visant à faire valoir ses droits sur l'héritage de son père. En effet, ser Piero était mort intestat et sept frères du peintre, légitimes ceux-là, veulent lui soustraire une part de l'héritage, comme ils l'avaient déjà fait en 1507, après la mort d'un oncle commun. Ce dernier ayant prévu une répartition égale de ses biens, les fils Vinci cherchaient à invalider le testament et à exclure leur frère.

Les procédures judiciaires se prolongent quelques mois, obligeant le maître à demeurer à Florence, ce qui lui donne tout le loisir de réfléchir au sort qu'il réserve à ses travaux. La note conservée au British Museum se lit comme suit :

> Commencé à Florence en la maison de Pietro di Braccio Martelli, le 22 mars 1508. Ceci sera un recueil sans ordre, fait de nombreux feuillets que j'ai copiés avec l'espoir de les classer par la suite dans l'ordre et à la place qui leur conviennent, selon les matières dont ils traitent ; et je crois qu'avant la fin de celui-ci j'aurai à répéter plusieurs fois la même chose ; ainsi, ô lecteur, ne me blâme pas, car les sujets sont multiples et la mémoire ne saurait les retenir ni dire : je n'écrirai pas ceci parce que je l'ai déjà écrit. Car si je voulais éviter cette erreur, il me faudrait, chaque fois que je désire écrire tel passage sans me répéter, relire tout ce qui est écrit avant, et cela d'autant plus qu'il y a parfois un long laps de temps entre une période d'écriture et la suivante.

En d'autres mots, il laisse entendre à un lecteur éventuel que, si jamais il s'astreignait au travail fastidieux consistant à donner une forme définitive à ses études, il ne procéderait pas à une synthèse préalable de ses écrits. Malgré ses bonnes intentions, rien n'indique qu'il ait pris, ne serait-ce qu'une fois dans sa vie, le temps nécessaire pour ordonner ses découvertes. Il a toujours trop à faire, trop à apprendre, le fait de mettre au propre de petits traités thématiques doit lui sembler pure perte de temps, voire une dilapidation de ses talents. De plus, ces recherches-là, il les fait pour lui ; il ne songe pas à diffuser un quelconque enseignement à ses contemporains. Dans ses écrits, Léonard converse avec lui-même — et lui seul. Selon toute vraisemblance, il ne projette pas de faire avancer les sciences, se bornant à penser que ses découvertes serviront un jour la postérité. Avant tout, il veut étancher son inextinguible soif de savoir, découvrir comment fonctionnent les choses et pourquoi elles fonctionnent ainsi. Certes il s'intéresse aux effets, mais ce sont les causes qui le captivent en premier lieu.

Et ce ne sont pas les sujets d'étude qui manquent durant ce deuxième séjour à Milan. Léonard a plus souvent la chance de pratiquer des autopsies sur des cadavres humains ; la précision de ses dessins anatomiques s'en ressent, elle s'améliore, se raffine. Vers 1513, il se lance dans une étude méthodique de la structure et des fonctions du cœur, dont il analyse à la fois les causes et les effets. Il doit

se contenter, la plupart du temps, d'examiner des cœurs de
bœuf, mais il fait tout de même des observations surpre-
nantes de la cavité interne de l'organe, de son fonctionnement aussi, en regard desquelles les connaissances des
anatomistes de son époque paraissent bien minces.

Évidemment, il est regrettable que Léonard n'ait pu
collaborer plus longtemps avec della Torre, mais peu après
son installation à Milan, il fait la connaissance d'un autre
jeune homme, dont l'amitié aura les plus heureuses conséquences pour les arts et les sciences. Tandis qu'il séjourne
chez Girolamo Melzi, un peu à l'extérieur de la ville, le fils
de son hôte, Francesco, encore adolescent, attire son attention par ses excellentes aptitudes artistiques. Les deux
hommes développent rapidement ce qu'il est convenu
d'appeler une relation père-fils et tissent des liens si solides
que Léonard emmènera Francesco avec lui à Rome, en 1513,
et plus tard en France, lorsqu'il s'expatriera. À sa mort, il
léguera même sa bibliothèque au jeune Melzi, avec tous ses
manuscrits.

La quiétude des années milanaises est bientôt troublée
par un renversement des forces qui avaient jusque-là assuré
la stabilité. En ces temps où on rompt les alliances militaires aussi vite qu'on les conclut, la bonne entente entre les
Habsbourg et le roi de France ne tarde pas à faire long
feu. En 1508, les Français et les Autrichiens avaient formé,
avec Ferdinand II d'Espagne et le pape Jules II, la ligue de

Cambrai, soit une alliance visant à soumettre Gênes, la rebelle, et forcer Venise à rendre certains territoires annexés depuis peu. Mais à peine cette entente est-elle signée que le pape, prenant les Français au dépourvu, exécute une volte-face spectaculaire. Il s'allie aux Vénitiens, aux Espagnols et aux Suisses, afin de rétablir la dynastie des Sforza dans le Milanais. Dans un premier temps, les Français réussissent à briser les attaques des nouveaux coalisés, mais sont finalement défaits à Novare. Le 29 décembre 1512, Maximiliano, fils de Ludovic le More, entre dans Milan, ceint de la couronne ducale.

Léonard se retrouve du même coup dans une situation problématique. Maximiliano se souvient sans doute que son père tenait le peintre en haute estime, mais il n'ignore pas que le Vinci est devenu l'un des principaux protégés de Louis XII. En conséquence, il y a peu de chances qu'il lui offre du travail et il ne le fera pas. À 61 ans, sans protecteur, Léonard, avec tous ses gens, amis, serviteurs et apprentis, doit se résoudre à trouver un nouveau logis. Et les Médicis, une fois de plus, vont décider de son sort ou, du moins, assurer son avenir immédiat. En 1512, Julien de Médicis, l'un des fils de Laurent le Magnifique, ami et admirateur de l'artiste, s'empare du pouvoir à Florence, sans verser une goutte de sang. L'année suivante, au moment même où Léonard évalue les choix bien minces qui s'offrent à lui, Jules II meurt. Jean, frère aîné de Julien de Médicis, devient pape sous le nom de Léon X. Le nouveau maître de Florence conseille alors à son ami de gagner Rome et de se placer sous la protection de sa noble famille, ce que Léonard accepte avec plaisir. Une note dans ses carnets indique simplement : « Le 24 septembre, je suis parti de Milan pour Rome, en compagnie de Giovan Francesco Melzi, Salai, Lorenzo et le Fanfoia. »

Julien aussi rejoindra Rome avant longtemps, car le pape estime qu'il est trop rêveur, trop intellectuel — ou peut-être trop honnête —, pour promouvoir les intérêts de la famille à Florence. En fait, Julien, qui aime à s'entourer de peintres, d'architectes, d'ingénieurs et même d'alchimistes, devient le véritable protecteur de Léonard quelques courtes années. Il installe son ami dans des appartements somptueux au palais du Belvédère, au cœur du Vatican, et avant même son arrivée, retient les services d'un architecte pour réaménager les lieux et préparer un grand atelier.

Si Léonard pense que les bonnes dispositions de Julien à son égard vont désormais lui assurer la tranquillité d'esprit nécessaire pour ses vieux jours, il va vite déchanter. D'autres hommes, plus jeunes, jouissent des faveurs du pape et exercent à la cour une influence certaine. Parmi les artistes honorés de cette confiance papale, il est un certain Raphaël, âgé de 29 ans, et le dénommé Michel-Ange, 38 ans, tous deux au sommet de leur art et peu enthousiastes à l'idée de voir le vieux maître venir jouer dans leurs plates-bandes. Michel-Ange, le premier, amer et envieux, fait tout pour saper la réputation de son ancien rival. Outre cela, on parle latin au Vatican, ce qui, bien sûr, désavantage Léonard, lequel maîtrise mal cette langue, comme on le sait. Tout n'est pas noir cependant. On lui confie assez peu de travail, de sorte qu'il a le loisir de se plonger dans des recherches anatomiques, mathématiques, et des études sur la vision.

Il ne s'en prive pas du reste, mais ces activités confirment, dans l'esprit des gens, la réputation qui le précède, selon laquelle il a tendance à laisser ses rares commandes pour se livrer à d'autres ouvrages. De plus, le pape doit voir en lui un être aussi peu pragmatique que son frère Julien. Vasari raconte qu'après avoir accepté de peindre une toile, le Vinci se met aussitôt à distiller des plantes dans de l'huile pour préparer un vernis destiné à protéger l'œuvre terminée. Dans l'esprit de Léonard, il s'agit d'une expérience comme tant d'autres, visant à mettre au point une nouvelle technique de conservation, mais, aux yeux du pontife, c'est la preuve que le peintre, incapable de se corriger, cède à la procrastination, remet tout au lendemain et s'évertue à ne jamais donner suite à ce qu'on lui demande — et peut-être voit-il juste sur ce point, dans une certaine mesure. Vasari rapporte que Léon X se serait alors exclamé : « Hélas ! en voilà un qui n'aboutira à rien ; il pense au terme de l'ouvrage avant de l'avoir commencé. » On ignore si l'anecdote est exacte ; elle n'en illustre pas moins l'attitude de Léonard vis-à-vis des responsabilités qui lui incombent et, plus encore, elle nous informe qu'au chapitre des priorités il place toujours plus haut la curiosité et l'invention que la nécessité de répondre aux attentes d'autrui.

En plus des problèmes que lui cause son éloignement de la cour, Léonard doit bientôt se défendre contre des intrigues ourdies par certains de ses apprentis. En effet, deux artisans allemands, après avoir cherché, semble-t-il, à dérober ses plans d'un miroir parabolique, laissent entendre à des proches de Léon X que Léonard, sous le prétexte de pratiquer des autopsies à l'Hôpital Santo Spirito, se livre en fait à la nécromancie. Sans doute effrayé par les conséquences que de telles calomnies peuvent entraîner, Léonard note dans un carnet : « Le pape vient d'apprendre que j'ai écorché trois cadavres. » Il demande à Julien d'intercéder en sa faveur auprès du Saint-Siège, mais son protecteur, atteint déjà de la tuberculose qui l'emportera sous peu, néglige de donner suite à sa requête. Quand le pape sanctionne Léonard en lui interdisant de faire des autopsies, il est trop tard, Julien ne peut plus rien là contre. À partir de ce jour, les grandes études anatomiques du Vinci sont à toutes fins pratiques terminées ; jamais il ne les reprendra avec la même ardeur. « Les Médicis m'ont créé, puis ils m'ont détruit. »

Notre peintre n'est pas en très grande forme non plus. Les années commencent à peser, sa santé décline, il n'a plus l'enthousiasme qui le caractérisait naguère. Certains témoins parlent d'un affaiblissement de son état général, même d'un tremblement qui affecterait sa main droite. Cela ne l'empêche pas de poursuivre les travaux qui l'intéressent vraiment. Ses écrits révèlent que, durant cette période, il dessine des écuries pour Julien de Médicis et les plans d'un appareil destiné à frapper les pièces pour l'Hôtel des monnaies. Sur les mêmes feuillets figurent des calculs relatifs au fonctionnement de certaines parties de canons. Par ailleurs, aucun document ne le prouve, mais il semble que Léonard ait alors travaillé à un projet semblable à ceux auxquels il avait participé à Milan, visant à assécher des marais proches de Rome.

En 1515, de nouveaux bouleversements perturbent son existence une fois de plus. Louis XII rend l'âme le jour de l'An et François Ier lui succède. Ce dernier ne tarde pas à vouloir renverser Maximiliano et à reprendre le Milanais. En juillet, malgré sa santé chancelante, Julien est envoyé à la tête des armées du pape pour contenir les troupes françaises qui déjà marchent au sud de Florence. Mais peu après, Julien cède le commandement à son neveu et se retire à Fiesole, où il meurt. Léonard est à nouveau sans protecteur.

Dans ce tourbillon d'événements politiques, on ne sait à quel moment au juste Léonard rencontre le roi de France. Lorsque François Ier écrase les armées du pape à Marignan, au sud-est de Milan, et qu'il reprend sa marche vers Rome, Léon X juge préférable d'engager des pourparlers secrets avec lui pour contrer d'autres invasions. Il est possible que Léonard ait fait alors, durant ces négociations, la connaissance de l'homme qui sera son dernier protecteur. François Ier se souvient de l'estime dans laquelle son prédécesseur tenait Léonard et, en décembre 1516, après avoir conclu une entente avantageuse avec le pape, il invite Léonard à le suivre en France avec ses troupes ou à l'y rejoindre.

Voilà qu'au terme de sa vie, Léonard trouve enfin un protecteur à la mesure de son génie. Car s'il est un peu tard pour réaliser de grandes choses, il ne l'est point pour recevoir des honneurs. Durant les deux ans et demi qui lui restent à vivre, Léonard sera traité comme l'émérite et révéré professeur qu'il est devenu, au fond, depuis un bon moment déjà. François Ier lui alloue un traitement appréciable et lui offre le manoir de Cloux (aujourd'hui Clos-Lucé), attenant à son château d'Amboise. Quand la cour se trouve dans ce dernier, le roi, qui est davantage un guerrier qu'un homme de grande culture, rend à son voisin, qu'il considère comme le plus grand artiste de son temps, de fréquentes visites qui prennent presque l'allure de pèlerinages.

On peut se faire une idée de la déférence avec laquelle François Ier traite Léonard, à partir de la relation que rédige plus tard Benvenuto Cellini, qui entre à la cour en 1540 et recueille, de la bouche même du roi, un témoignage de sa considération.

> Le roi François, animé d'une grande passion pour ses immenses talents [ceux de Léonard], prenait si grand plaisir à l'entendre converser, qu'il était peu de jours dans l'année où il ne se rendît près de lui, et c'est la raison pour laquelle le maître n'eut guère l'occasion de mettre au propre les formidables études qu'il avait entreprises avec tant d'assiduité. Je tiens à redire ce que le roi m'a dit à moi-même, en présence du cardinal de Ferrare, du cardinal de Lorraine et du roi de Navarre. Il dit qu'il croyait que jamais il n'y avait eu dans le monde un homme sachant autant de choses que Leonardo, non seulement en sculpture, en peinture et en architecture, mais encore en philosophie, car c'était un très grand philosophe.

Il existe un autre témoignage décrivant un épisode de la vie de Léonard durant ses dernières années, rédigé celui-là par un voyageur qui se rend à Cloux au cours de l'année 1517. Le cardinal d'Aragon, demi-frère du roi de Naples, visite en effet le château d'Amboise lors d'une grande tournée européenne, entreprise en compagnie de son secrétaire Antonio de Beatis, lequel rend compte de la visite.

> Durant la première semaine d'octobre 1517, Monseigneur et nous tous sommes allés rencontrer, dans une demeure attenante au château d'Amboise, Messire Lunardo Vinci, le Florentin, un vieil homme de 70 ans, le plus grand peintre de notre époque, qui a montré à Son Excellence trois tableaux,

l'un étant le portrait d'une certaine dame florentine, exécuté à la demande de Julien de Médicis le Magnifique, un autre de saint Jean jeune, et le troisième de la Madone et de l'Enfant, sur les genoux de sainte Anne, tous faits avec une grande perfection par le maître, dont on ne peut plus attendre d'autres belles choses, car il est atteint d'une paralysie du bras droit. Mais il a fort bien instruit un élève venu de Milan, qui travaille excellemment sous sa direction. Bien que ledit Messire Lunardo ne puisse plus colorier avec la douceur qui lui était particulière, du moins s'occupe-t-il à faire des dessins et à surveiller le travail des autres. Ce gentilhomme a composé un ouvrage très détaillé sur l'anatomie, montrant aussi bien des membres que des muscles, des nerfs, des veines, des jointures, des intestins et tout ce qui peut s'expliquer, aussi bien sur le corps des hommes que sur celui des femmes ; on n'en a encore jamais fait de semblable. Il nous l'a montré et nous a dit, en outre, qu'il avait fait la dissection de plus de trente corps d'hommes et de femmes de tout âge. Messire Lunardo a écrit également une quantité de volumes sur la nature des eaux, les diverses machines, et sur d'autres sujets qu'il nous a indiqués ; tous ces livres, rédigés en langue vulgaire, seront une source d'agrément et de profit lorsqu'ils viendront au jour.

Ce langage que Beatis qualifie de vulgaire est bien entendu l'italien, langue vernaculaire dont les qualités sont reconnues depuis que Dante en a fait l'apologie, deux cents ans plus tôt. Sous la plume de Léonard, la beauté de cette langue atteint parfois des sommets à peine moins poétiques que ceux décrits, en 1307, par l'autre grand Florentin dans son commentaire sur les mérites littéraires, intitulé *De vulgari eloquentia*.

Plusieurs erreurs faussent un peu la relation de Beatis, mais hormis celles-ci, son texte donne une image juste de Léonard au cours des dernières années de sa vie ; la plupart des spécialistes s'entendent pour lui reconnaître beaucoup de véracité. Le portrait d'une « certaine dame florentine » n'a pas été exécuté à la demande de Julien de Médicis, mais il s'agit bien de *La Joconde*, dont Léonard n'a jamais voulu se départir[1]. Par ailleurs, en dépit d'une allure qui le vieillit, Léonard a en fait 65 ans au moment où le cardinal d'Aragon lui rend visite.

Le passage où il est question de la « nature des eaux » peut se rapporter à des rêveries de type philosophique, comme on en trouve tant dans les carnets de Léonard, ou encore à divers projets conçus par lui tout au long de sa vie, et relatifs aux systèmes de canalisation, à l'assèchement de marais, ou à la déviation de cours d'eau, fleuves et rivières. L'attention que Beatis accorde ici aux études dites anatomiques est particulièrement frappante. Et s'il met l'accent là-dessus, c'est sans doute que Léonard lui-même leur conférait de l'importance. Qu'il ait cru bon, parmi tous les

---

1. De tous les grands spécialistes, Kenneth Clark est pour ainsi dire le seul qui conteste cette interprétation ; d'après lui, il s'agirait d'une toile peinte après *La Joconde*.

ouvrages qu'il avait sous la main, de montrer justement ces études-là aux visiteurs de marque qui se présentaient chez lui, prouve qu'elles lui tenaient à cœur et qu'il les estimait d'un grand intérêt.

Il y a comme une ironie du sort dans le fait que le dernier refuge du Vinci est un charmant petit manoir, situé à peine à 30 kilomètres du donjon où, 10 ans plus tôt, Ludovic Sforza avait terminé une existence que Léonard jugeait inachevée. Et on se demande si le grand peintre, au moment où il sent fléchir ses forces, regrette de laisser derrière lui tant d'œuvres inachevées elles aussi, s'il déplore d'avoir dispersé ses talents dans de si nombreuses directions, au lieu de se consacrer à deux ou trois champs d'activités, bref s'il considère sa vie incomplète, comme celle du More. S'il y songe, ses carnets ne le révèlent pas.

Vasari décrit les tout derniers mois de la vie de Léonard en s'appuyant, à n'en point douter, sur les informations que lui fournit Francesco Melzi, plusieurs années après les faits, lorsqu'il lui rend visite, vers 1566. « Devenu vieux, il fut malade de longs mois. Voyant la mort approcher, il voulut s'informer scrupuleusement des pratiques catholiques. » Léonard croit en Dieu et en l'existence de l'âme, mais il entend surtout se conformer aux rites, aux dogmes, car, comme l'écrit Walter Pater, « tenant peu aux croyances des autres hommes et mettant la philosophie au-dessus des leçons du christianisme », il connaît encore mal les prescriptions d'une doctrine dont il est resté éloigné toute sa vie.

Au soir du jour de Pâques 1519, il dicte son testament, lègue tous ses manuscrits à Melzi et, en un geste symbolisant la variété de ses dons, demande qu'on dise des messes dans trois paroisses différentes, comme s'il distribuait à la ronde son héritage spirituel. Léonard de Vinci meurt le 2 mai de la même année, après avoir reçu les derniers sacrements d'une Église dont il a si souvent remis en doute les enseignements sur l'histoire et la nature du monde.

Quant à la direction que prend alors son âme, on ne peut que conjecturer. Toutefois, nous devons tenir compte de ses propres réflexions à cet égard. Léonard estimait que l'âme a besoin du corps pour se manifester. Très brièvement, il note dans un carnet que le corps « éveille à point nommé l'âme qui va l'habiter ». Ailleurs, il ajoute : « Chaque partie est destinée à rejoindre son tout qui, seul, peut corriger les imperfections. L'âme tend à se réfugier dans le corps, car sans lui elle ne saurait agir, ni sentir. » En d'autres mots, et si on veut poursuivre cette explication mécaniste, l'âme ne pourrait plus fonctionner après la disparition du corps. Peut-être meurt-elle aussi. Mais aucun de nous ne saurait le dire, tant qu'il est de ce monde.

CHAPITRE 6

Les manuscrits

À L'INSTAR D'UNE FOULE D'HOMMES et de femmes, j'ai passé ma vie à griffonner des notes pour moi-même. Et chacune d'elles, au moment où je la rédigeais, me paraissait capitale. Toujours, j'avais l'intention de reprendre ces notes et de les transcrire plus tard dans des dossiers plus structurés, thématiques, ou de suivre simplement les instructions que je me donnais par écrit. Il est certain que la plupart des lecteurs de cet ouvrage font ou ont fait de même bien souvent.

Il ne fait pas de doute non plus que la majorité de ces notes, rédigées à la hâte et qu'on adresse à soi-même, emprunte le plus souvent une forme sténographique ou carrément codée, que l'auteur déchiffre sans mal, mais qui demeure illisible pour autrui. Ce que d'aucuns pourraient prendre pour de la dissimulation ne vise pas à confondre les lecteurs ; l'auteur veut tout bonnement enregistrer une idée le plus vite possible. Ainsi, quand je ne les ai point égarées, je parviens toujours à relire mes notes, si absconses soient-elles, même s'il me faut parfois faire un effort de mémoire ou chausser mes lunettes.

Voilà comment Léonard de Vinci a dû procéder durant 35 années environ, au cours desquelles il a rempli les quelque 5000 feuillets qui existent toujours, sans parler, bien sûr, de ceux qu'on a sans doute perdus. À Milan, dès le début de la trentaine, il commence à coucher sur papier, et pour lui seul, des séries de notes, certaines brèves, écrites au fil de la plume, d'autres mieux composées et formant parfois des réflexions ou des études sur des questions de nature artistique, scientifique ou philosophique, accompagnées le plus souvent de dessins soignés ou de simples croquis. En vérité, il serait plus juste d'écrire que ces dessins, quel que soit leur état d'achèvement, sont accompagnés de légendes ou d'explications, car ils sont dans l'ensemble plus révélateurs que les notes. Le format des feuillets varie énormément, allant de la grande page, comme c'est souvent le cas, jusqu'aux petits billets de 9 cm sur 6 cm. Plus de la moitié des écrits sont rédigés sur des feuilles volantes et le reste dans des cahiers ou des carnets reliés de dimensions variables. Enfin, pour bien embrouiller les choses, Léonard utilise parfois des feuilles pliées en deux, qu'il couvre de notes, découpe plus tard et dont il range une moitié ici, avec d'autres textes, et la seconde ailleurs, de sorte qu'il est difficile de reconstituer le texte original ou de suivre l'ordre chronologique.

En règle générale, telle observation ou réflexion figure en entier sur la même page, bien qu'on relève de temps à autre, mais rarement, les indications « voir au verso » ou encore « ceci est la suite de la page précédente ». Les textes ne présentent aucune ponctuation, pas d'accentuation non plus, et on remarque chez l'auteur une tendance à créer de quelques mots brefs un seul mot, plus long. L'inverse est également vrai ; certains mots ayant de nombreuses syllabes sont parfois divisés en deux. De loin en loin, on tombe sur des mots ou des noms propres dont l'auteur a permuté l'ordre des lettres, comme s'il les avait écrits en grande hâte. Certaines lettres, certains chiffres aussi, ne suivent pas toujours les règles orthographiques et sont par conséquent difficiles à déchiffrer, tout comme il est malaisé, parfois, de saisir les raccourcis que l'auteur emprunte. Il s'agit, en somme, de la calligraphie toute personnelle d'un individu prenant des notes destinées à lui seul.

Enfin, il y a cette fameuse écriture inversée, dont on a si souvent parlé. Léonard, en effet, traçait les mots de droite à gauche, ce qui complique la transcription des manuscrits. Et c'est sans doute pourquoi il remplissait à l'occasion ses cahiers depuis la dernière page en remontant vers la première. Il n'est pas rare non plus qu'une même page présente une réflexion scientifique, une note relative à des questions domestiques et, dans certains cas, un croquis sans légende, ou un texte sans dessin, ou encore une note accompagnant son croquis et formant un ensemble cohérent. Car lorsqu'on trouve sur la même page des notes et des dessins qui, au premier coup d'œil, semblent incompatibles les uns avec les autres, on découvre souvent, comme l'ont constaté les experts, qu'il existe des rapports directs ou indirects avec les éléments voisins.

Un certain livre qu'on a intitulé *Traité de la peinture* après la mort de Léonard existe bel et bien et se présente comme un ensemble achevé; il s'agit cependant d'un ouvrage constitué de toutes pièces par un inconnu ayant rassemblé les pages qui lui paraissaient relever du même thème, pour leur donner une forme définitive. Le codex intitulé *Sur le vol des oiseaux* présente lui aussi une certaine unité, mais on trouve d'autres études relatives aux mécanismes du vol, éparpillées çà et là dans les divers cahiers. Pour tout dire, parmi tous les écrits, il n'est pas un seul ouvrage composé comme on l'entend de nos jours. L'auteur s'est contenté de laisser des milliers de billets semblables à ceux que nous rédigeons à la hâte pour nous-mêmes. Et malheureusement, bon nombre de ces billets ont disparu.

En revanche, plusieurs pages ont été retravaillées par l'auteur maintes et maintes fois au cours de sa vie. Léonard pouvait laisser tel feuillet durant des semaines, des mois, voire des années, et y revenir plus tard pour ajouter tantôt un dessin, tantôt d'autres notes, à mesure qu'il faisait de nouvelles découvertes sur le même thème. L'exemple le plus flagrant à cet égard, dans les études dites anatomiques, est la série de dessins du plexus brachial, un enchevêtrement de nerfs qui relient le bras à la moelle épinière. Un intervalle de 20 ans sépare les premiers dessins de ce réseau complexe des tout derniers croquis.

Certes, l'écriture inversée exige du lecteur une attention particulière, mais elle est moins difficile à déchiffrer qu'on pourrait le supposer. Les gauchers y parviennent en général assez facilement, cela leur est peut-être plus naturel d'ailleurs. Les enseignants corrigent les enfants gauchers, mais ces derniers recouvrent sans mal leur habitude. Au reste, nombre de droitiers écrivent très lisiblement de droite à gauche. On est presque certain, mais pas entièrement, que Léonard était gaucher. Dans ses ouvrages, Luca Pacioli parle de la facilité avec laquelle son ami dessine de la main gauche et Saba da Castiglioni en fait état lui aussi, dans son livre *Ricordi*, publié à Bologne en 1546. De plus, certains ont remarqué que Léonard, dans ses dessins, représente les ombres en traçant de petites lignes obliques, de gauche à droite et de haut en bas, comme le font habituellement les gauchers.

Compte tenu de tous ces facteurs, il semble bien que Léonard n'ait eu aucune raison, secrète ou mystérieuse, d'écrire de cette manière bizarre. Il était fort probablement gaucher et griffonnait à la hâte, sa main ne courant pas si vite que sa pensée. Son langage, dans lequel certains ont voulu voir un code, est plus vraisemblablement le gribouillage d'un homme dont la calligraphie particulière et les raccourcis lui permettaient de noter ses idées rapidement. À maintes reprises, Léonard fait part de son intention de rassembler un jour ses écrits par thèmes ; ses notes étaient pour lui — sinon pour les autres — aussi lisibles sous cette forme qu'elles l'eussent été s'il les avait rédigées normalement.

Si vraisemblables que soient les explications qu'on vient de lire, il demeure possible que le Vinci ait rédigé ses pensées de cette façon afin qu'elles demeurent illisibles pour quiconque ne prend pas le temps et les moyens d'en saisir tout le sens. Vasari dit de Léonard qu'il était hérétique et plus philosophe que chrétien ; certains pensent qu'en agissant ainsi il cherchait peut-être à voiler son incroyance. Nombre de ses idées sont très éloignées des enseignements de l'Église. Bien avant que Galilée ne soit condamné par les tribunaux de l'Inquisition, Léonard affirme que « le soleil est immobile ». Partout, que ce soit dans les fossiles, les formations rocheuses ou les mouvements de l'eau, il voit des preuves de l'ancienneté de la terre et du caractère évolutif de ses formes géologiques et vivantes. Avant les études de Charles Lyell, au début du XIXe siècle, aucun autre savant n'a expliqué avec autant de clarté que les reliefs de la croûte terrestre sont le résultat de processus en cours depuis des temps immémoriaux et s'inscrivent dans une durée géologique.

> Puisque les choses sont beaucoup plus anciennes que les écrits, on ne s'étonnera guère de ne point trouver aujourd'hui des témoignages certifiant que les mers nommées plus haut couvraient jadis de si nombreux pays ; et si de tels témoignages ont jamais existé, les guerres, les sinistres, les déluges, les transformations du langage et des coutumes les ont détruits comme ils ont détruit tout vestige du passé. Mais il suffit de savoir que certaines choses, formées dans des eaux salées, sont retrouvées de nos jours sur de hautes montagnes, fort éloignées de toute mer.

Léonard décrit lui-même ce phénomène dans certaines de ses toiles, *La Vierge aux rochers*, notamment, *Sainte Anne* et *La Joconde* aussi. À l'arrière-plan, on distingue un monde primitif comme le peintre, sans doute, se le figurait avant qu'il n'évolue (j'emploie le mot à dessein, car le Vinci fut près de formuler une théorie de l'évolution du monde) et ne prenne sa forme actuelle. Un homme qui, plus d'une fois, affirme que chaque chose est partie du tout, établit très certainement un lien direct entre l'évolution du monde et celle du genre humain. Son intérêt soutenu pour l'un procède de son intérêt pour l'autre.

Léonard voit l'imprévisible nature comme la créatrice des merveilles et prodiges toujours changeants qui se produisent sur terre ; il n'hésite d'ailleurs pas à écrire : « La nature, instable, qui prend plaisir à créer ou à produire sans cesse de nouvelles formes, car elle sait que ses matières terrestres en seront accrues, est mieux disposée et plus prompte à la création que ne l'est le temps à la destruction. » Il n'est nullement question de Dieu ici, et l'auteur ne fait pas référence non plus aux explications bibliques relatives à la création du monde. Bien que je ne sois pas de cet avis, il est donc possible que des considérations de cet ordre aient pesé et qu'elles expliquent pourquoi Léonard croyait bon d'écrire de cette manière peu lisible. Certes, on ne doit pas sous-estimer les risques qu'il y avait à être condamné pour hérésie en un temps où l'Église dominait les esprits, surtout quand on connaît le sort réservé, non seulement à Galilée, mais à tant d'autres qui osèrent remettre en doute les fondements de la doctrine religieuse.

Au cours des siècles, certains érudits, en nombre restreint cependant, se sont penchés sur les manuscrits du maître, et leurs recherches, fort précieuses, nous aident aujourd'hui à mieux comprendre la pensée de Léonard. Les quelques citations qui étayent le présent ouvrage illustrent assez bien, il me semble, la force du verbe du Florentin. Car en plus d'être un peintre, un architecte, un ingénieur et un homme de sciences hors du commun, sans parler de ses autres mérites, Léonard se distingue aussi comme écrivain remarquable. Et le plus surprenant, si on exclut la volonté de dissimulation, le plus renversant, c'est qu'il se lance dans ces envolées lyriques, si poignantes, et les rédige pour lui seul. L'esthète, le grand observateur de l'homme et de la nature qu'il était, le moraliste aussi, l'être qui affleure à la lecture des manuscrits et qu'on croit presque toucher, exprime tout son savoir et ses plus intimes émotions, comme un flot continu de conscience courant sur une période de plus de 30 ans. Il n'y a pas d'autocensure ici ; la voix que nous percevons nettement exprime à la fois une sincérité, une conviction et, ce qui était exceptionnel à l'époque, une curiosité toute fraîche, libre de préjugés.

J'irai même jusqu'à dire que si Léonard avait voulu composer un ouvrage réunissant ses principes philosophiques ou un recueil d'aphorismes par lequel il eût connu la gloire, ou que s'il avait souhaité rédiger un précis expliquant l'univers et ses rapports avec le genre humain — quelles qu'eussent été ses intentions, en fait —, jamais il n'aurait pu faire mieux qu'en nous laissant, comme il l'a fait, ce qui semble être un fatras, un mélange informe de pensées jetées au hasard sur le papier, sur ces feuilles volantes ou dans ces carnets, au milieu de croquis, de plans d'architecte, d'observations scientifiques, de constructions mathématiques, de citations tirées d'autres auteurs, et des petites notes de sa vie domestique. Dans le même mouvement, il a exposé ses rêveries les plus intimes mêlées au message auquel il a consacré sa vie et dont les grandes

lignes sont : qu'on doit se tourner vers la nature pour comprendre l'être humain ; que seules l'observation et l'expérimentation sans préjugés peuvent percer les mystères de la
nature ; que, chez l'homme, les possibilités de comprendre
sont illimitées ; qu'il existe une unité entre tous les éléments de l'univers ; que l'étude de la *forme* est fondamen-
tale, mais que la clef du savoir réside dans l'étude du
mouvement et de la *fonction* ; que l'examen des forces et de
l'énergie mène à la vraie connaissance des mécanismes
naturels ; que le savoir scientifique doit pouvoir se résumer
en principes mathématiques démontrables ; enfin que
l'ultime question à poser, lorsqu'on veut percer les mystères de la vie et de la nature, est non pas tant *comment*,
mais bien *pourquoi*.

« On doit se tourner vers la nature pour comprendre
l'être humain. » Voilà une notion bien plus inclusive qu'il
n'y paraît au premier abord. La pensée de Léonard s'inspire
en partie d'une vieille théorie selon laquelle l'homme est
un microcosme à l'image du macrocosme de l'univers.
Pour le Vinci cependant, il ne s'agit pas là d'une conception spirituelle, mais d'un concept mécaniste, dirigé par les
forces de la nature. Tout naît du reste et s'y reflète. La structure de notre planète est semblable à celle de l'homme.

Les Anciens disaient de l'homme qu'il est en soi un monde
miniature, et cela est juste, en effet, puisque l'homme est
constitué de terre, d'eau, d'air et de feu, le corps de la terre

étant semblable. Tout comme l'homme a en lui une ossature pour soutenir sa chair, le monde a ses rochers qui supportent la terre ; et tout comme l'homme a en lui une quantité de sang qui flue et reflue à mesure que les poumons respirent, le corps de la terre a son océan qui monte et descend toutes les six heures, au rythme de la respiration du monde. Et comme le sang circule dans un réseau de veines qui déploie ses branches dans tout le corps humain, l'océan de la même façon irrigue le corps de la terre par le nombre infini de ses cours d'eau.

Certains aphorismes de Léonard empruntent le ton noble et soutenu des versets bibliques et présentent même des similitudes avec les réflexions qu'on lit dans le livre des Proverbes, celui des Psaumes et l'Ecclésiaste. Ainsi Léonard — l'auteur qui a lancé cette fameuse phrase : « Dans la vie, la Beauté se fane, jamais dans l'art » — affirme sa certitude que la peinture est la forme artistique la plus élevée : « Ta langue s'asséchera et ton corps tombera de fatigue avant que tu n'aies décrit avec des mots ce que la peinture présente tout de suite à tes yeux. »

À propos de l'idée qu'il se fait de l'immortalité qu'on acquiert par notre façon de vivre et les réalisations qu'on lègue à la postérité, il déclare : « Ô toi qui dors, qu'est-ce que le sommeil ? Le sommeil ressemble à la mort. Oh ! alors pourquoi ne point laisser derrière toi une œuvre qui te vaudra l'immortalité plutôt que d'imiter le mort infortuné en dormant toute ta vie. » Ailleurs, il lance une affirmation qui découle directement de celle qu'on vient de lire : « Évite l'étude dont les résultats disparaissent avec celui qui l'a menée. »

Et cette phrase encore, qui semble puisée dans le livre des Proverbes : « N'appelle pas richesses ces choses qui peuvent être perdues ; la vertu est notre seul bien véritable et la récompense de qui la possède. [...] Quant à la propriété et aux biens matériels, tu dois toujours les tenir avec crainte ; très souvent ils plongent leurs possesseurs dans l'ignominie et le rendent risible de les avoir perdus. » Voilà les pensées d'un homme que ses contemporains traitaient de « parfait illettré ».

Bien entendu, toutes les notes ne sont pas de cette qualité. On trouve dans les manuscrits des listes d'ouvrages à lire et à se procurer ; il y a des rapports sur les activités banales qui sont le lot de ceux qui tiennent une grande maisonnée et dirigent un atelier d'artistes. On peut voir également des brouillons de lettres, destinées à divers protecteurs, dans lesquelles l'auteur se plaint de n'être pas payé. Justement, dans l'ouvrage réuni sous le titre de *Codex Atlanticus*, on trouve des fragments d'une lettre que Léonard destinait à Ludovic le More, durant son premier séjour à Milan. « Je suis profondément navré que l'obligation de gagner ma vie [en acceptant d'autres commandes] m'ait forcé à interrompre l'exécution du travail que Votre Seigneurie m'a confié ; mais j'ai l'espoir de toucher bientôt assez d'argent pour recouvrer la tranquillité d'esprit nécessaire pour satisfaire Votre Excellence, à qui je me recommande, et, si Votre Seigneurie a cru que je possédais de l'argent, c'est qu'on l'aura trompée, car durant trente-six mois j'ai eu six bouches à nourrir avec cinquante ducats. »

Sans fausse modestie, Léonard n'hésite pas non plus à louer ses mérites si les circonstances l'exigent, comme il le fait ici dans une autre lettre, rédigée durant la même période et adressée, celle-là, à un correspondant inconnu.

> Je peux vous dire que vous n'obtiendrez dans cette ville que des ouvrages bâclés, sans valeur, et trouverez des maîtres sans raffinement aucun ; en vérité, croyez-moi, il est ici nul homme capable, hormis Leonardo le Florentin qui réalise le cheval de bronze du duc Francesco et qui n'a pas besoin de faire son éloge, car il s'est attelé à une tâche qui lui prendra toute sa vie et je doute qu'il la termine jamais, car il s'agit d'un travail vraiment considérable.

De loin en loin, le lecteur tombe sur un passage à ce point prémonitoire, qu'il éprouve le besoin de s'interrompre et de relire le paragraphe plusieurs fois, par crainte de l'avoir mal interprété. En fait, Léonard a conçu tant de nouvelles idées, qu'on a tendance à lui en attribuer plus qu'il n'en a formulé. Aussi faut-il se garder d'accorder à certaines de ses affirmations plus de sens qu'elles n'en comprennent réellement. Cela étant posé, on ne peut s'empêcher de penser qu'il jette dans l'extrait suivant les bases d'une théorie évolutionniste, dont les principes apparaissent dans plusieurs autres textes traitant des formations géologiques, de l'eau et des fossiles. « La nécessité est maîtresse et nourrice de la nature ; la nécessité est le thème et la raison d'être de la nature ; elle en est le frein et la règle éternelle. » La nécessité est ce besoin de rester en vie ; elle est le catalyseur du processus dit évolutionniste.

D'une certaine façon, Léonard semble avoir saisi les principes d'une méthode qu'on appellera des siècles plus tard le raisonnement par induction, tout comme il a compris l'importance de l'expérimentation dans l'étude des lois générales de la nature.

> D'abord, avant d'aller plus loin, je ferai quelques expériences, car c'est mon intention de commencer par l'expérience, puis, au moyen du raisonnement, de démontrer pourquoi cette expérience devrait donner tel résultat. C'est ainsi que doivent procéder ceux qui analysent les effets naturels ; même si la nature commence avec la cause et qu'elle conclut par l'expérience, nous devons suivre le chemin contraire, soit (comme je viens de le dire) commencer par l'expérience et, selon ce qu'elle révèle, étudier la cause ensuite.

Une pareille façon de procéder était absolument inédite à l'époque de Léonard. En fait, c'est une idée du xviiᵉ siècle formulée en un temps où la grande majorité des savants et philosophes faisaient précisément l'inverse, c'est-à-dire qu'ils exposaient des théories globales afin d'expliquer leurs observations et expériences. Il faudra attendre plus d'un siècle avant que William Harvey, qui découvrit le système de la circulation sanguine, ne résume en une phrase toute brève le nouveau principe que Léonard l'« illettré » avait, si j'ose dire, tiré d'un néant scientifique : « Nous nous fions à nos yeux et remontons des plus petites choses aux plus grandes. »

Le trésor que constituent les manuscrits du Vinci nous est parvenu par des voies fort détournées depuis l'époque où Francesco Melzi l'avait en sa possession. On connaît les sentiments de Melzi à l'endroit de son mentor et ami, non seulement par les témoignages de ses contemporains, mais aussi par une lettre qu'il adressa aux frères de Léonard pour leur annoncer son décès. « Il était pour moi comme le meilleur des pères, écrit le jeune homme qui avait laissé son propre père pour suivre Léonard en France ; il m'est impossible d'exprimer la peine que j'ai ressentie à sa mort. […] La perte d'un homme tel que lui touche tout le monde, car la nature ne pourra jamais nous en donner un autre de cette stature. »

Après l'enterrement du maître dans le cloître de l'église Saint-Florentin d'Amboise, on ouvrit son testament, par lequel il léguait à Melzi, âgé de 26 ans, « en rémunération pour ses services et pour les faveurs qu'il nous a prodiguées dans le passé, chacun et tous les livres que le testateur possède ce jour et tous les instruments et portraits concernant son art et métier de peintre. »

Melzi retourna peu après dans la villa de sa famille, à Vaprio, non loin de Milan, où il autorisa certains visiteurs choisis — mais seulement ceux qu'il jugeait assez qualifiés — à consulter les fameux manuscrits. Lui-même entreprit un premier classement et réussit, vers la fin de sa vie, à présenter un ensemble subdivisé en 344 chapitres brefs, mais tout cela manquait d'ordre encore et ne fut jamais publié sous cette forme. En 1566, Vasari lui rendit visite et nota que certains textes, relatifs à la peinture notamment, n'étaient déjà plus chez Melzi, devenu vieux. Ces pages, dans lesquelles il était question de «peinture, et des procédés du dessin et de la couleur», qui comprenaient également des remarques sur l'anatomie et les proportions du corps, appartenaient, disait-on, à un artiste de Milan, dont nous ne connaissons toujours pas le nom. Quoi qu'il en soit, il y a tout lieu de croire qu'il s'agissait des feuillets qui formeront plus tard le *Traité de la peinture*, publié une première fois à Paris, en 1651, et dont on donnera une nouvelle version, plus complète, en 1817. Hormis ces cahiers, Melzi refusa de céder quelque autre écrit que ce soit, car il tenait à conserver le tout en un même ensemble. À sa mort, en 1570, son neveu, l'avocat Orazio Melzi, hérita des manuscrits et se sentit libre d'en disposer à sa guise. Il semble que le précepteur de ses enfants se soit emparé de quelques cahiers et qu'on en ait distribué d'autres à diverses personnes. C'est ainsi qu'une appréciable quantité des carnets tomba entre les mains du sculpteur Pompeo Leoni, alors au service du roi Philippe II d'Espagne, à qui Leoni avait promis de les remettre. Il les rapporta effectivement en Espagne, mais Philippe mourut avant son retour, l'empêchant du même coup de tenir sa promesse. Leoni rassembla dans un grand album des éléments qu'il avait découpés, puis collés, de même que 1700 dessins et croquis, dont plusieurs n'avaient aucun rapport avec le reste. À ce grand volume de quelque 1222 pages, il donna le titre de *Codex Atlanticus*. On ne saura jamais ce que Leoni a pu jeter. À sa mort, en 1610, le *Codex Atlanticus* et quelques autres manuscrits passèrent à son héritier, Polidoro Calchi, qui vendit le tout au comte Galeazzo Arconati, en 1625. Un siècle après la mort de Léonard, ses manuscrits étaient connus dans le monde et on leur attribuait une valeur inestimable. En 1636, Arconati offrit le *Codex Atlanticus* à la bibliothèque Ambrosienne de Milan, avec 11 autres volumes. Comme le fondateur de ladite bibliothèque, le cardinal Federico Borromeo, y avait déjà déposé un livre de Léonard en 1603, la Bibliothèque Ambrosienne possédait donc 13 volumes. Certains écrits tombèrent dans d'autres mains et il ne fait pas de doute que quelques-uns furent perdus dans la suite.

Lors de la campagne d'Italie, en 1796, Bonaparte estima que ces manuscrits constituaient un butin de guerre ; il fit envoyer le *Codex Atlanticus* à la Bibliothèque Nationale, à

Paris, et les 12 autres volumes à l'Institut de France. Là, ces derniers furent examinés avec soin et, pour la toute première fois, décrits minutieusement par J. B. Venturi. Ainsi, depuis lors, les désigne-t-on par les lettres qu'il leur a attribuées : manuscrit A, B, etc. Après Waterloo, les Français rendirent le *Codex Atlanticus* à la Bibliothèque Ambrosienne, où il se trouve encore sous la forme de 12 volumes de textes, décollés de l'album réalisé par Leoni, mais remontés dans un ordre plus rigoureux. Les autres documents sont toujours à Paris, à l'exception d'un carnet, *Sur le vol des oiseaux*, inclus au départ dans le manuscrit B, subtilisé durant la première moitié du XIXe siècle, et qui, après avoir suivi un parcours assez mystérieux, se trouve aujourd'hui à la Bibliothèque de Turin.

D'autres documents ayant appartenu à Melzi aboutirent en Angleterre. Il semble qu'ils faisaient partie de ceux que Pompeo Leoni laissa en Espagne. En 1638, leur propriétaire, un Espagnol, les vendit à Thomas Howard, comte d'Arundel, qui voyageait alors dans la péninsule ibérique. Howard les rapporta en Angleterre et on croit savoir qu'il les offrit à Charles Ier. Une partie de ces documents, formant le *Codex Arundel*, fut léguée à la Royal Society, en 1681, puis déposée au British Museum, en 1831. Enfin, le reste, qui comprenait les dessins anatomiques, aboutit à la Royal Library de Windsor ; on mit le tout sous clé, dans un grand coffre, avec quelques dessins de Hans Holbein. Ces documents ne furent redécouverts qu'un siècle plus tard. Aujourd'hui, les manuscrits que possèdent les Britanniques se trouvent, soit à la Royal Library de Windsor, soit au British Museum, au Victoria & Albert Museum (collection Forster) et, jusqu'à tout récemment, dans la collection Leicester de Holkham Hall. Le *Codex Leicester* appartient depuis peu au milliardaire américain William Gates, propriétaire de Microsoft. Kenneth Keele estime qu'un tiers seulement des manuscrits originaux du Florentin existe encore de nos jours; le reste, s'il n'est pas détruit, demeure introuvable.

Mais il y a de l'espoir, car on redécouvre de temps à autre certains manuscrits dont on connaissait l'existence, mais qu'on croyait définitivement perdus. Ainsi, en 1965, deux cahiers furent retrouvés à la Biblioteca Nacional d'Espagne. Le premier, qu'on désigne par le nom de *Codex I de Madrid*, renferme des études théoriques et appliquées portant sur la mécanique. Le second, le *Codex II de Madrid*, rassemble des notes éparses traitant d'une foule de sujets, allant de la peinture aux fortifications militaires, en passant par la construction de canaux, la géométrie et l'optique.

Plusieurs documents ont disparu très tôt; rien ne prouve, en effet, que Léonard ait emporté tous ses manuscrits en France, bien au contraire, et il légua à Melzi ceux qu'il avait en sa possession au moment de sa mort. On sait, par exemple, qu'une partie non négligeable de ses études anatomiques est restée à l'Hôpital Santa Maria Nuova, au moment où il quitta Florence en 1516 et qu'elle a disparu par la suite. Quant aux autres documents perdus plus tard, on ne peut formuler que des suppositions. Le duc de Ferrare apprit en 1523 qu'il y avait dans le fonds appartenant à Melzi « *quelli libricini di Leonardo di Notomia* ». Le mot *libricini* laisse entendre que certaines études anatomiques étaient consignées dans de petits calepins ; or les manuscrits conservés à Windsor ne se présentent pas sous cette forme.

L'examen et l'interprétation de cette somme de manuscrits représentent une tâche vraiment colossale. Il semble que Léonard ait eu parfois un comportement compulsif, ce qui expliquerait sa manie de noter tout ce qu'il savait ou de transcrire chaque problème auquel il s'attaquait. Même si les spécialistes avaient la chance de consulter ses écrits dans leur forme originale, c'est-à-dire comme ils se présentaient au départ, ils se retrouveraient devant un gigantesque casse-tête, rempli d'observations, d'hypothèses, de pensées sans lien les unes avec les autres, sans grandes démarcations non plus pour distinguer les diverses matières, enfin sans datation permettant de classer les sujets selon les périodes où l'auteur les a traités. Compte tenu des découpes et autres collages effectués pour composer le *Codex Atlanticus*, par exemple, compte tenu de tous les mélanges réalisés par certains à partir d'un ensemble déjà fort

désordonné — sans parler de l'absence d'indications qui
auraient pu aider à établir des rapports et qui existaient
peut-être dans certains carnets aujourd'hui disparus —, on
peut aller jusqu'à dire que cette foule de documents forme
une espèce de capharnaüm scientifique et littéraire. Heu-
reusement pour la postérité, l'immense défi que constitue
l'analyse de ces documents, au lieu de rebuter les chercheurs au cours des siècles, les a stimulés au contraire, et
ceux de notre génération ne sont pas en reste à ce chapitre.
Grâce à leur travail, nous avons la chance d'accéder, pas
entièrement bien sûr, aux sphères dans lesquelles évoluait
l'esprit le plus riche de savoir que le monde ait connu peut-
être, mais, à n'en point douter, le plus fascinant.

CHAPITRE 7

Anatomie

« Choses relatives aux yeux »

COMME ON L'A VU PLUS HAUT, un certain nombre de manuscrits de Léonard se retrouvèrent en Angleterre au cours du XVIIᵉ siècle et furent rangés dans un coffre sous clef. Or ce genre de coffre a tendance à disparaître mystérieusement ou à s'égarer lorsque son propriétaire est décapité et qu'un nouveau régime prend le pouvoir. C'est précisément ce qui se produisit dans ce cas-ci, durant et après la guerre civile anglaise. Plus tard, un certain jour de l'année 1778 probablement, Robert Dalton, bibliothécaire du roi, découvrit par hasard le coffre en question au château de Windsor. Il ignorait ce qu'il renfermait et, plus encore, où se cachait la clef. Après qu'il eut forcé le verrou, Dalton fut éberlué devant le trésor qui s'étalait sous ses yeux, car il était sans doute capable d'en estimer la valeur, puisque les études anatomiques de Léonard étaient alors connues dans toute l'Europe, bien que personne ne sût où elles se trouvaient. Grâce aux notes et dessins inclus dans le *Traité de la peinture*, on croyait savoir qu'il en existait beaucoup d'autres et on rêvait du jour où quelqu'un mettrait enfin la main dessus.

En 1784, William Hunter, l'anatomiste anglais le plus en vue, demande l'autorisation de consulter ces documents, ayant entendu dire qu'ils comprenaient 799 dessins (on en dénombre 600 aujourd'hui, le reste a disparu on ne sait où), dont 200 représentant différentes structures du corps humain. Tout comme Dalton, Hunter est estomaqué par ce qu'il découvre.

> Je m'attendais à trouver des dessins anatomiques à peine plus précis que ceux dont se servent les peintres pour exercer leur art. À ma grande surprise, je constatai que Leonardo avait été un étudiant très sérieux, qui s'intéressait à tout. Quand j'ai vu quel mal il s'était donné pour illustrer chaque partie du corps, lorsque j'ai pris conscience de la supériorité de son génie universel, de la parfaite connaissance qu'il avait de la physique, de l'hydraulique, et quand j'ai compris avec quelle minutie il examinait les objets qu'il se proposait de dessiner, force me fut d'admettre que Léonard de Vinci avait été le meilleur anatomiste de son temps, cela, dans le monde entier.

Cet éloge, si chaleureux soit-il, demeure en deçà de la réalité. Car avant qu'André Vésale ne publie son remarquable traité *De corporis humani fabrica*, en 1543, aucun ouvrage de ce genre, tant sur le plan du détail que de la précision, ne pouvait se comparer aux études réalisées par Léonard. Depuis, on estime à juste titre que Vésale a donné le premier traité d'anatomie vraiment moderne, mais c'est oublier que Léonard l'avait fait avant lui — bien qu'il fût pratiquement le seul à le savoir. Lorsqu'il lui vient l'idée de dessiner des cadavres sur le motif, il s'engage dans une entreprise hors du commun et tout à fait inédite pour l'époque. En son temps, les médecins estimaient que les croquis détournaient l'attention des lecteurs ; ils s'en servaient uniquement pour étayer leurs théories et recommandaient à leurs étudiants de s'instruire par les textes. Cette réticence des professeurs de médecine à l'égard des dessins dura des siècles ; j'en veux pour exemple la citation suivante, tirée d'une critique parue tout juste après la publication de *L'Anatomie* de Gray, dans le *Boston Medical and Surgical Journal*, en juillet 1859 : « Si vous donnez des illustrations aux étudiants, vous pouvez être certain qu'ils les consulteront aux dépens du texte lui-même. » Ensuite, déplorant le fait que Henry Gray ait inclus trop de croquis dans son ouvrage, le commentateur défend son point de vue en comparant ce livre « à deux des plus remarquables traités d'anatomie [contemporains] jamais publiés, chacun ayant été réédité plusieurs fois, or ni l'un ni l'autre ne présente la moindre illustration. » L'auteur de cet article, Oliver Wendell Holmes, était alors professeur d'anatomie à

Harvard et la revue dans laquelle il signa son compte rendu allait devenir le très estimé *New England Journal of Medicine.*

En fait, même le grand Vésale ne se compare pas à Léonard. Si pénétrantes que soient ses explications portant sur les mécanismes du corps humain, sur la manière dont les diverses structures remplissent leurs fonctions respectives, si nettes que soient leurs descriptions dans les dessins qui accompagnent son texte, elles demeurent en fin de compte inférieures à celles du Vinci. Certaines des observations réalisées par ce dernier dans une foule de domaines — les études du château de Windsor notamment — ne seront redécouvertes que des années, voire des siècles après lui.

Et il faudra des années — jusqu'au milieu du XXe siècle pour être exact — avant qu'on puisse mesurer à sa juste valeur l'importance de ses travaux en anatomie, en physiologie, et qu'on prenne vraiment conscience de l'étendue de son savoir. Pour Léonard, la forme humaine est celle du corps en mouvement; chacun de ses mouvements, chacune de ses activités ou manifestations, tant externes qu'internes, obéissent donc à des principes physiques et se prêtent par conséquent à un examen objectif. Afin de bien saisir la portée d'un raisonnement comme celui-là, il faut savoir que durant des siècles après la mort de Léonard, un grand nombre, sinon la majorité des scientifiques faisaient valoir des facteurs surnaturels pour combler les lacunes de leurs connaissances et expliquer des phénomènes que leurs études expérimentales ne parvenaient pas à élucider. À leurs yeux, certains phénomènes demeureraient toujours inexplicables et inexpliqués, pour la raison bien simple qu'ils relevaient du spirituel. D'ailleurs, le seul fait de nier l'influence de certains facteurs spirituels sur tel ou tel phénomène confinait non seulement à l'hérésie, mais au sacrilège.

Même l'adjectif «remarquable» illustre mal le bond que les recherches de Léonard constituent dans le domaine scientifique, depuis le jour où, pour la première fois, il entaille un corps humain. Jusque-là et depuis le IIᵉ siècle de notre ère, l'anatomie et toute la médecine procédaient de l'enseignement de Galien, praticien grec qui exerça surtout à Rome et qui avait formulé ses conceptions relatives à la santé et à la maladie avec une telle autorité, qu'elles étaient devenues pour tous les théoriciens après lui une sorte de bible sur laquelle ils se fondaient pour avancer leurs propres hypothèses. Mettre en doute le magistère de Galien revenait à remettre en question la médecine telle qu'on la concevait alors, et personne n'osait se lancer dans une entreprise de cette nature, qui aurait d'ailleurs été considérée par tous comme un manquement grave à l'orthodoxie médicale. Pour les médecins du Moyen Âge et ceux de la Renaissance, l'enseignement de Galien avait pour ainsi dire le statut et la même autorité que les doctrines de l'Église. Aussi, qu'ils écrivissent en grec ou en arabe, les deux langues dont on se servait pour transmettre les textes classiques jusqu'au début de la Renaissance, tous les rédacteurs d'ouvrages médicaux se faisaient les interprètes respectueux des travaux de Galien, se bornant, de loin en loin, à rappeler certaines conceptions d'Aristote, quand les idées de l'un ne s'accordaient pas avec celles de l'autre.

Galien avait élaboré ses théories — publiées sous une forme équivalant à 22 volumes in-octavo — en se basant sur des dissections d'animaux, puis sur des hypothèses selon lesquelles un suprême artisan avait conçu et réglait les activités de toutes les structures naturelles. Bref, son enseignement ne reposait pas sur une connaissance exacte du corps ou de ces structures, mais sur certaines théories plus ou moins globales et fantaisistes se rapportant à la fonction ou à la physiologie. Pour Galien, comme pour tous les praticiens qui retinrent ses leçons par cœur durant 13 siècles, la maladie était généralement causée par un déséquilibre de l'une ou l'autre des quatre humeurs (le sang, la bile noire, la bile jaune et le flegme), en relation avec les quatre qualités, le chaud, le froid, le sec et l'humide. Un système à ce point spéculatif ne s'embarrassait pas de connaître en détail la conformation des organes ni d'étudier les particularités de leur fonctionnement, puisque les descriptions données par l'auteur fournissaient — croyait-on

— tout ce qu'il était utile de savoir pour pratiquer la médecine à bon escient. Les rares dessins reproduits dans les ouvrages spécialisés étaient plus schématiques qu'anatomiques ; ils donnaient une idée très approximative de la réalité, mais, répétons-le, il n'était pas nécessaire qu'il en fût autrement, puisque leur utilité se résumait à faciliter la compréhension de la théorie des humeurs et de l'action de ces dernières sur la maladie. En d'autres mots, avant Léonard, on n'estimait pas qu'il était essentiel de dessiner fidèlement les organes ou les éléments du corps dissimulés derrière les premières couches de la paroi abdominale.

À la fin du XVe siècle, les universités italiennes recommandaient à leurs enseignants d'utiliser un certain traité d'anatomie intitulé *Anathomia*, écrit par Mondino dei Liucci, lequel avait été professeur à Bologne et dont les idées sur l'anatomie et la maladie en général s'inspiraient d'ouvrages rédigés, ceux-là, par des médecins arabes qui avaient réinterprété ceux de Galien. Le plus renommé de ces Arabes est Avicenne (Abu Ali Husayn ibn Abdallah Ibn Sina, de son vrai nom), dont le *Canon de la médecine* avait été introduit dans le pays au début du XIe siècle. Un deuxième ouvrage, *Meliki*, signé par un autre Arabe, Abulcasis (Abu Al-Kasim), originaire de Cordoue, circulait également depuis les années 1060 environ. L'*Anathomia*, écrit en 1316, est un volume in-8 de 40 pages tout au plus, qui donne des directives pour procéder à la dissection,

Mondino ayant été l'un des rares professeurs reconnu pour avoir pratiqué lui-même des autopsies, même s'il s'agissait en fait d'observations très superficielles. Des copies manuscrites de son ouvrage circulèrent dans toute l'Europe jusqu'en 1478, année où on en fit une première version imprimée. Entre 1478 et 1580, il n'y eut pas moins de 33 éditions de l'*Anathomia* (on employait indifféremment le mot édition pour désigner une simple réimpression ou une nouvelle composition du texte) ; certaines d'entre elles furent incluses dans les sept éditions d'un autre ouvrage médical, largement diffusé, intitulé *Fasciculus medicinæ*, rédigé par un auteur dont l'identité nous est mal connue et qu'on désigne généralement sous le nom de Johannes de Ketham. Le *Fasciculus*, paru une première fois en 1491, réunit des textes sur la phlébotomie, de même que sur la chirurgie, et comprend les premières gravures jamais publiées dans un ouvrage médical. Il semble que Léonard ait eu sous la main l'édition de 1494, traduite en italien. Dans ses écrits, il fait référence — de manière peu élogieuse du reste —, à l'*Anathomia* de Mondino et il est probable qu'il s'en soit servi avant d'entreprendre ses premières dissections. La terminologie qu'il emploie ressemble si bien à celle de l'*Anathomia* qu'il y a peu de doute que ce livre l'ait influencé.

Même si cet ouvrage fournit quelques descriptions superficielles des organes, le texte repose pour l'essentiel sur des interprétations arabes des ouvrages de Galien. Léonard se réfère aussi à d'autres livres médicaux, mais, dans l'ensemble, ils reprennent tous les idées médiévales de Mondino et ne vont guère au-delà. L'*Anathomia* ne comprend aucune illustration ; toutefois un dessin, largement distribué à l'époque et datant de presque un siècle, servait aux professeurs et aux étudiants de médecine. Ce fameux croquis, qui est *la première image représentant les organes internes jamais imprimée*, figurait dans le *Fasciculus medicinæ*, où l'*Anathomia* était incluse. Pour avoir une idée de l'avance prodigieuse prise par Léonard, il suffit de comparer ce dessin à celui qu'il réalise à l'époque où il peint *La Joconde* et sur lequel il décrit les mêmes organes. On peut imaginer les pensées qui lui traversaient l'esprit quand il confrontait ses découvertes aux idées reçues de ses contemporains. Cela dit, quelles que fussent ces pensées, il les gardait pour lui ; contrairement à ce qui se faisait alors, jamais il ne compara son travail à celui de ses prédécesseurs.

Mais comment ces idées reçues étaient-elles accueillies en leur temps ? À ce propos, nous avons le témoignage de Vésale, qui, une trentaine d'années après la mort de Léonard, commente la méthode d'enseignement utilisée dans la plupart des universités européennes. Depuis près d'un siècle, avec l'assentiment de l'Église, on donnait aux étudiants avancés des cours d'anatomie, qui consistaient notamment à disséquer un corps humain. En 1543, Vésale glissa dans la préface de son traité *De corporis humani fabrica*, la description d'une de ces leçons, qui avaient lieu une ou deux fois l'an pour parfaire la formation des étudiants, mais surtout leur démontrer la véracité des thèses de Galien. Il s'agissait, pour la majorité des étudiants, de leur unique expérience avec un cadavre. Vésale décrit la scène de la manière suivante.

> Une odieuse cérémonie au cours de laquelle certaines personnes [des chirurgiens engagés pour la circonstance] devaient procéder à une dissection du corps, tandis que d'autres personnes [le professeur et son assistant] expliquaient ce qu'on savait de chacune des parties. Ces personnes, perchées sur une chaire, jacassaient comme des pies et parlaient avec une insigne fatuité de choses dont elles n'avaient aucune connaissance réelle, mais dont elles avaient retenu les caractéristiques à la lecture d'ouvrages signés par d'autres [ceux de Galien et des médecins arabes]. Quant aux chirurgiens, ils maîtrisaient si mal les diverses langues qu'ils étaient incapables de décrire ce qu'ils venaient de disséquer.

Combien cette scène diffère des observations léonardiennes ! Car ce sont des observations *in situ* qui distinguent les travaux du Vinci de tout ce qui dérivait de l'enseignement de Galien. Avant de répondre à la sempiternelle question du *pourquoi*, il faut d'abord comprendre *comment* fonctionnent les choses, ce qui exige un examen minutieux, si méticuleux en fait que personne avant Léonard n'en avait

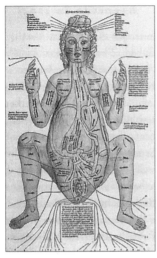

Anatomie de la femme,
croquis inclus dans
le *Fasciculus medicinæ*.

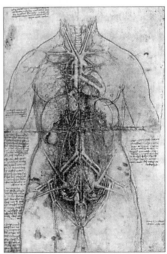

Anatomie de la femme,
par Léonard de Vinci.

effectué de semblables. Car voir clairement les choses, c'est pouvoir les interpréter ensuite de manière objective — seule méthode efficace pour qui entend percer les mystères de la nature. Grâce à son regard d'artiste, à sa curiosité et à son aperception d'homme de sciences, Léonard réduit tel phénomène aux seuls éléments qui le composent ; il parvient ainsi à le comprendre entièrement. Or c'est en connaissant chaque élément particulier de telle structure qu'on peut ensuite se faire une idée de sa fonction.

Bien avant que Galien ne s'approprie leurs écrits pour étayer ses thèses, Hippocrate et ses émules des iiie et ive siècles av. J.-C. savaient déjà que cette méthode était excellente. Les observations qu'ils firent sur des malades sont à ce point détaillées et leurs descriptions écrites si précises qu'elles peuvent être confirmées par quiconque se donne la peine d'observer les patients avec soin. Toutefois, Hippocrate et ses successeurs n'ayant jamais étudié l'anatomie, il n'existait pas de tradition ou d'école recommandant d'appliquer aux organes internes les mêmes méthodes utilisées pour examiner les symptômes et les signes extérieurs de la maladie. Quelque 500 ans plus tard, Galien, s'appuyant sur des dissections d'animaux et les intuitions spéculatives propres à un philosophe, tente d'expliquer l'anatomie et le fonctionnement du corps par la simple raison, au lieu d'observer chaque organe et chaque mouvement avant de se prononcer. Enfin, de nombreux siècles après lui, Léonard arrive à son tour et reconnaît, comme les premiers disciples d'Hippocrate, que le seul moyen de bien saisir la nature — celle de l'être humain d'abord — consiste à observer les choses directement, de façon nette et si aiguë qu'aucun détail n'échappe à l'examen.

Cela dit, il ne suffit pas d'observer. Encore faut-il noter ce qu'on voit, pas seulement pour conserver les nouvelles connaissances acquises, mais pour les étudier après coup à son gré. Cela est d'autant plus nécessaire qu'on ne pouvait, à l'époque, retarder la putréfaction plus de quelques jours ou de quelques heures. Et pour Léonard, il ne suffit pas de relater ces observations par écrit, il veut également les dessiner, puisque seule l'image traduit fidèlement la réalité qu'on examine.

> Ô, toi, l'écrivain! Avec quels mots décriras-tu la figure entière aussi parfaitement que ce dessin le fait ici? Sans connaissance directe, tu ne la décriras que de manière approximative, tu ne fourniras que de rares informations sur la véritable forme des choses, et tu t'abuseras si tu crois pouvoir satisfaire le lecteur en lui parlant de la forme de n'importe quel élément corporel, recouvert qu'il est de plusieurs couches de tissus. Aussi je te rappelle de ne pas te payer de mots, à moins de t'adresser à l'aveugle, ou, si tu veux parler de sujets qui conviennent davantage à l'oreille qu'aux yeux, songe à des sujets naturels et substantiels et ne te mêle pas des choses relatives aux yeux, en les communiquant à l'oreille, sinon tu seras dépassé de très loin par les travaux du peintre. Avec quels mots décriras-tu le

cœur sans remplir tout un livre ? Car plus tu écriras, plus long sera ton livre, et plus tu confondras l'esprit de ton lecteur.

Léonard ne se contente pas de formuler semblables réflexions, il en démontre l'excellence par ses dessins. Les textes accompagnant les croquis anatomiques restent très secondaires par rapport aux illustrations. Il s'agit en quelque sorte de légendes ou de brefs commentaires ajoutés, qui se résument à expliquer sommairement les dessins ou qui rappellent à l'auteur de faire d'autres croquis plus tard, ou encore qui signalent tel problème nécessitant une étude plus approfondie. En somme, les cahiers anatomiques sont d'abord des séries de dessins, plus ou moins achevés, allant du croquis à peine esquissé à la planche très détaillée, avec tout l'éventail de la palette entre les deux.

Ces dessins se présentent également sous une forme aussi inédite qu'instructive. Léonard montre certes telle structure de face, mais il la dessine aussi de dos, de profil, vue de haut, en contre-plongée, bref sous tous les angles qui lui paraissent utiles pour donner une idée aussi claire que possible de sa forme en trois dimensions. Comme je l'ai dit, il est le premier qui emploie la technique des coupes transversales ; il sectionne une jambe à mi-mollet, par exemple, de manière qu'on voie la coupe elle-même, puis les muscles tels qu'ils se présentent à cet endroit. Afin de parfaire son travail et de compléter ses observations, il dissèque parfois plusieurs spécimens du même organe ou du même membre, de sorte qu'aucun détail anatomique ne lui échappe. Il lui arrive aussi de dessiner plusieurs couches de tissus en transparence, dirait-on, pour indiquer où se trouve telle partie du corps ou tel organe sous les autres. À l'inverse, il supprime parfois les couches supérieures pour montrer les profondeurs de telle cavité. En outre, il dessine les vaisseaux sanguins après avoir éliminé les tissus qui les entourent afin qu'on les visualise bien hors de leur milieu naturel.

Mais là n'est pas encore tout. Léonard innove en sciant des os en deux et il révèle leur structure interne. Il dessine les viscères abdominaux et thoraciques par-derrière et nous fait voir de quoi ils ont l'air, une fois retirés les muscles du dos. Par ailleurs, il coule de la cire liquide dans les cavités d'un organe, les ventricules du cœur par exemple, ou l'encéphale, et obtient des moules reproduisant leurs formes internes. Pour l'œil, organe difficile à disséquer, il lui vient l'idée de le plonger dans du blanc d'œuf, puis de faire bouillir le tout, ce qui donne une substance plus ferme, qui facilite la taille des tissus. De nos jours, on emploie semblables techniques de fixation pour découper avec minutie des structures fines ou fragiles.

En tout temps, le but visé est moins de montrer chaque partie du corps comme elle se présente que d'expliquer son fonctionnement au sein de l'organisme, c'est-à-dire par rapport aux autres parties. Les relations des diverses structures dans l'espace tridimensionnel prennent ainsi une immense importance. Il en va de même du rapport géométrique des parties, lequel démontre la coordination des forces, que Léonard juge essentielle à chaque mouvement. D'ailleurs, pour étudier ces forces-là, il utilise des fils de cuivre à la place des muscles et les fixe aux points d'attache du squelette ; il en noue par exemple aux points d'attache du biceps, de sorte que les mécanismes de contraction et de détente apparaissent nettement.

Si j'employais dans ce chapitre l'expression « expérience jamais réalisée avant lui » aussi souvent que le contexte le justifie, le lecteur se lasserait vite et commencerait même à se poser des questions. Pourtant, il n'est pas d'autre moyen de rendre compte des faits. Jamais on ne le répétera assez. Ici, là et partout, Léonard fut le premier. C'est pourquoi on déplore que personne n'ait su tout de suite ce qu'il avait réalisé et qu'il fallut redécouvrir ses inventions des décennies ou des siècles plus tard. Les savants durent attendre la venue d'André Vésale pour revoir entièrement leurs connaissances du corps humain, parce que le plus grand anatomiste que le monde ait connu gardait ses découvertes par-devers lui ou pour de trop rares personnes, incapables de mesurer ses travaux à leur juste valeur.

Au début, Léonard aborde l'anatomie dans une optique de peintre. Il veut améliorer ses connaissances de la forme et de l'expression du corps, afin de « peindre l'homme et les intentions de son âme », pour reprendre sa formule. Peu à peu, ce qu'il découvre l'intrigue de plus en plus et il devine qu'il existe mille autres choses à connaître. Progressivement, il tombe sous le charme ; il est fasciné par les mécanismes du corps humain, comme l'ont été tous ceux qui en découvrirent les merveilles depuis que l'homme préhistorique s'est retrouvé, la première fois, devant la poitrine ouverte de son ennemi trucidé et qu'il a observé les dernières palpitations de ses organes à découvert. Néanmoins, je le répète, c'est le mouvement, plus que la structure, qui fascine Léonard en premier lieu. Avant longtemps, il entreprend un long périple, malheureusement inachevé, visant à bien saisir ce mouvement.

Pour ce faire, il possède les connaissances nécessaires et n'ignore pas ce qu'il convient d'étudier encore avant d'aller plus loin. Ainsi, après avoir mis en garde les aspirants disséqueurs (c'est-à-dire lui-même au premier chef) contre le dégoût qu'il faut surmonter pour travailler sur des cadavres (voir page 39), il dresse une liste des aptitudes requises.

> Et si cela ne te rebute pas, tu ne posséderas peut-être pas l'art du dessinateur, art essentiel pour effectuer de semblables démonstrations ; et si tu sais dessiner, tu n'auras peut-être aucune connaissance de la perspective ; et même si tu la possèdes, tu ne connaîtras peut-être pas les méthodes de la démonstration géométrique, celles du calcul des forces et de la puissance des muscles ; ou peut-être seras-tu de caractère

impatient, peu assidu au travail. Est-ce que je réunis ces qualités ? Les cent vingt livres que j'ai composés répondront, ou
non, à cette question. [Et si j'échoue], je n'aurai été arrêté ni
par l'avarice ni par la négligence, mais seulement par le temps.
Adieu.

L'auteur de ces lignes n'a jamais rédigé les 120 livres
qu'il mentionne ici, mais nous savons par des allusions faites
çà et là qu'il se proposait de publier un traité d'anatomie en
bonne et due forme, lequel eût peut-être comporté 120
chapitres justement. Et croyons-le sur parole, s'il ne l'a pas
réalisé, il n'en a été empêché « ni par l'avarice ni par la
négligence », mais bien par le temps qui lui a manqué.

Indéniablement, Léonard possédait les aptitudes requises pour étudier le corps humain. Chacune d'elles est
essentielle, en effet, pour illustrer la vie comme elle est,
montrer la forme comme elle se présente et décrire le
mouvement comme il se manifeste. Notre peintre fait
remarquer que la perspective est une « fonction de l'œil » ;
aussi veut-il comprendre, autant qu'il est possible, dans
quelle mesure cet organe influence le comportement. Léonard a une autre raison de vouloir étudier l'œil, raison qui
procède de l'idée qu'il se fait de la manière d'aborder
l'étude de chaque composante de l'univers. Pour lui, avoir
une bonne connaissance de l'œil est un élément essentiel.
Car pour bien la saisir, une chose doit d'abord être exami-
née comme elle est véritablement.

Parmi les toutes premières recherches scientifiques menées par Léonard figurent donc celles qu'il consacre à l'anatomie de l'œil et du cerveau, auquel l'œil transmet les images, celles qui regardent l'optique et celles concernant les propriétés de la lumière. Dans un premier temps, il cherche à savoir dans quelle mesure la distance et la lumière modifient l'aspect d'un objet. Mais bien vite, il entreprend une étude systématique de l'organe lui-même et de sa physiologie. À l'époque, on croyait que le cristallin percevait les images ; Léonard ne se contente pas de cette explication et découvre que la vision résulte du fait que la lumière converge sur la rétine.

Cela mis à part, ses autres recherches sur l'œil ne seront guère fructueuses. La raison en est qu'il s'intéresse à cet organe très tôt, alors qu'il vient à peine d'aborder l'anatomie. Il ne possède pas encore les compétences et le savoir qui lui permettront de mener à bien ses expériences ultérieures. Il n'en demeure pas moins qu'en regard de ce qu'on savait à l'époque, ses hypothèses sont pleines de bon sens. Il se demande par exemple, suivant le trajet de la lumière, pourquoi l'homme ne voit pas les objets à l'envers. Et il explique ce mystère en supposant qu'il se produit deux inversions de l'image, une première à la pupille, une seconde au cristallin, ce qui aurait pour effet de rétablir l'image à l'endroit. Plus tard, il écartera cette hypothèse, sans parvenir à résoudre le problème. Cela dit, qui aurait pu expliquer pareil phénomène au tournant du XVIe siècle ? Léonard découvre en revanche que le siège de l'acuité visuelle loge en un très petit point (qu'on désignera plus tard sous le nom de macula), point qu'il situe, à tort, au sommet du nerf optique ; cette erreur mérite qu'on la souligne, ne serait-ce que pour mieux apprécier la justesse de tant d'autres observations.

Certains croquis et notes anatomiques figurent dans le *Traité de la peinture*, mais les études plus scientifiques du corps humain ne commencent guère avant 1487, soit durant le long séjour à Milan. Les premiers dessins visent à expliquer la forme et les lois de la perspective. Durant cette même période, Léonard exécute une série de planches magnifiques représentant le crâne ; l'une d'elles porte la date du 2 avril 1489, première indication de cette nature. Plusieurs dessins de la même époque montrent le crâne ouvert, vu sous différents angles, afin de bien indiquer les sinus, la cavité orbitaire et l'orifice par lequel passe le nerf optique. Comme d'habitude, les textes accompagnant ces croquis sont très succincts. La célèbre *Anatomie du coït* (page 195), avec toutes ses lacunes, date elle aussi de cette période, soit 1493 environ.

Les notes et les dessins de Léonard prouvent de manière quasi certaine qu'il a lu des traductions italiennes des ouvrages de Mondino, d'Avicenne et peut-être de plusieurs autres interprètes de Galien. Les erreurs qui marquent ses tout premiers essais en anatomie révèlent leur influence ; on sent qu'il se base encore sur les dissections qu'il a faites sur des grenouilles, des chiens, des porcs, des vaches, des chevaux et des singes, car à cette époque il n'a pas eu l'occasion de travailler sur des corps humains bien souvent. O'Malley et Saunders croient pour leur part que, durant cette période milanaise, Léonard n'étudie que des fragments de cadavres, une tête notamment, et peut-être aussi une cuisse avec la jambe. Quoi qu'il en soit, son travail sur les animaux et des fragments de corps lui suffit pour dessiner des coupes transversales, ce qu'il est le premier à réaliser. Ses recherches sont à ce point profitables que même ses erreurs de novice l'aident à prendre une avance considérable sur ses prédécesseurs.

Dès 1496, Léonard tire également le meilleur parti de son amitié avec le mathématicien Luca Pacioli, qui, on s'en souviendra, séjourne à Milan cette même année. Durant les dix ans qui vont suivre, Léonard s'appliquera de plus en plus à observer le corps sous l'angle de ses mécanismes et de sa géométrie. Il délaisse petit à petit les considérations strictement artistiques et cherche à expliquer les processus physiologiques par lesquels le corps remplit ses diverses fonctions. Vers 1505, à 53 ans, il est déjà bien engagé dans l'étude systématique des dynamismes et de la physiologie humaine, comme l'anatomie permet de les saisir. Si nous devions classer les recherches menées après cette période, nous pourrions distinguer cinq catégories : les muscles et les os, les organes abdominaux, le cœur, le système nerveux et le développement de l'embryon dans l'utérus.

En fait, même au cours du premier séjour à Milan, les recherches sur le système nerveux vont déjà bon train, car Léonard est fasciné par les origines du mouvement et cet intérêt le stimule énormément. Bien qu'il soit encore influencé par les thèses d'Avicenne et de Mondino, il parvient à suivre le tracé des nerfs périphériques en remontant depuis les muscles jusqu'à leur point de départ dans l'épine dorsale. Ce n'est pas tout. Dès cette époque, il commence ses longs travaux sur le plexus brachial, qui culmineront 20 ans plus tard sous forme de conclusions définitives, lorsqu'il disséquera le plexus du vieil homme centenaire, dont les artères sclérosées l'amèneront à formuler des observations si précises. Peu après 1505, il constate qu'au mouvement d'un muscle répond simultanément l'action contraire d'un muscle voisin, phénomène qui sera pleinement reconnu au début du xxᵉ siècle, lorsque le neurophysiologiste Charles Sherrington, lauréat du prix Nobel, en fera la démonstration à son tour. Léonard illustre ce phénomène par un dessin qui représente les structures entourant l'articulation coxo-fémorale, mais, pour sûr, il estime que ce principe s'applique à l'ensemble des muscles.

Au chapitre des nerfs périphériques, il constate que la déchirure d'une extrémité — celle de la main, par exemple

— peut causer une perte de la sensibilité ou une incapacité de mouvement, parfois les deux. Bien qu'il ne formule pas la chose en ces termes-là, il ne fait pas de doute non plus qu'il a découvert que certains nerfs sont sensitifs, d'autres moteurs, et d'autres encore sensitifs et moteurs. En fait, il s'agit plutôt d'une redécouverte, car cette observation avait déjà été faite par des médecins d'Alexandrie, au IVᵉ siècle av. J.-C., puis notée par Galien, mais guère reconnue depuis lors.

Nous avons fait allusion aux études sur le cerveau, revenons-y un instant. Comme la plupart des Anciens, Léonard est convaincu que le siège de l'âme (dont il ne remet pas l'existence en question) se situe dans le cerveau. C'était là l'une de ces conceptions du monde à laquelle un esprit même aussi libre que le sien ne pouvait échapper entièrement. Mais cela ne l'empêche pas de voir le cerveau d'une manière moderne, soit comme le poste de commandement de toutes les activités du corps, relayé par les nerfs qui rejoignent n'importe quel point de la périphérie. Pour désigner ce qu'il croit être le point de convergence de tous les sens, Léonard emploie le vieux terme de *sensorium commune*, lieu fictif où, pensait-on depuis le IVᵉ siècle, siégeait le jugement. En outre, ses dissections le persuadent — à tort, et ce à cause de l'influence que ses lectures exercent encore sur lui — que les nerfs conduisent directement ou indirectement à l'une et l'autre des cavités de l'encéphale,

qu'on nomme les ventricules, et dont les injections de cire
ont confirmé la présence. À partir de cela, il résume le
concept en une seule idée générale et il tente de décrire
l'action musculaire en recourant à l'analogie.

> Les tendons et leurs muscles obéissent aux nerfs comme des
> soldats à leurs chefs ; et les nerfs obéissent au *sensorium com-*
> *mune* comme les chefs à leur capitaine ; et le *sensorium com-*
> *mune* obéit à l'âme comme le capitaine à son souverain. C'est
> ainsi que l'articulation des os obéit au tendon, le tendon au
> muscle, le muscle au nerf, et le nerf au *sensorium commune*, et
> le *sensorium commune* est le siège de l'âme, et la mémoire son
> guide et la faculté de percevoir des impressions lui sert de
> norme de référence.

Léonard remarque également que certains mouvements
des extrémités et de certaines parties du corps se produisent sans que la conscience intervienne directement. Il sent
donc le besoin d'expliquer « comment les nerfs agissent
parfois sans que l'âme leur envoie des directives » ; pour
ce faire, il rappelle l'autonomie relative que les « chefs »
acquièrent lorsqu'ils ont l'habitude de diriger les « soldats »
et entreprennent des actions sans attendre les ordres du
« capitaine ».

> L'officier qui, plus d'une fois, a suivi les recommandations de
> son souverain, entreprendra lui-même de faire quelque chose
> qui ne procède pas de la volonté du souverain. Ainsi voit-on
> souvent les doigts, ayant appris avec une docilité parfaite à

toucher l'instrument d'après les ordres du jugement, jouer ensuite sans que le jugement les seconde.

Sans doute Léonard parle-t-il ici des multiples actions volontaires qu'on exécute de façon automatique, sans y penser, et grâce à un entraînement intensif ; il n'en demeure pas moins que cette idée se rapporte aussi aux réflexes de toutes sortes, innés ou acquis. En décrivant le phénomène des réflexes, il décrit aussi l'arc réflexe, y compris le fait que ce dernier siège dans la moelle épinière et agit sans qu'intervienne un poste de commande plus élevé ou un « capitaine ».

Même s'il doit composer avec des interprétations fautives, basées sur d'anciennes théories médicales et sur la croyance, universellement admise, que l'âme, ou l'esprit, joue un rôle déterminant dans l'action de toute chose, Léonard de Vinci parvient à faire des observations et à établir des concepts qui sont en avance de plusieurs siècles sur la pensée de ses contemporains. Mais dans quatre autres domaines, il se libère de certaines entraves bien plus que ne le font les autres penseurs de son temps, comme nous le verrons dans le prochain chapitre.

CHAPITRE 8

Anatomie

Le cœur et autres matières

« Q U'EST-CE QUE L'HOMME ? qu'est-ce que la vie ?
qu'est-ce au juste que la santé ? » Voilà les questions
essentielles que Léonard se pose et qui sous-tendent toutes
ses recherches sur le corps humain, cela depuis le début,
quand il rédige ce qui deviendra le *Traité de la peinture*, et
plus tard, dans ses études concluantes qui commencent dès
1487 et culminent entre 1508 et 1515. En tout temps il cherche la solution des problèmes en s'interrogeant sur l'origine ou la nature du mouvement.

En dressant le plan de son grand ouvrage sur l'anatomie, il se donne une directive : « Compose-le de manière
que le livre traitant des éléments de mécanique précède
celui portant sur la démonstration du mouvement chez
l'homme et les autres animaux, ainsi tu pourras mettre tes

hypothèses à l'épreuve. » Tout en gardant cette règle à l'esprit, il voit les os des bras et des jambes comme des leviers,
et les muscles comme des outils par lesquels la force arti-
cule les premiers. Ses carnets sont pleins de croquis fondés
sur ce principe qui lui sert à mener ses recherches dans
deux domaines que les anatomistes modernes désignent
sous les noms de myologie et d'ostéologie. Le but de ces
études, qu'on devine à la lecture des écrits, vise à saisir
l'esprit de la nature, voire à le pénétrer, afin de devenir en
quelque sorte un intercesseur entre l'art et la nature. Au
fond, le grand secret du Vinci se résume peut-être à ceci :
de nos jours, nous connaissons beaucoup mieux le fonctionnement de la nature, mais Léonard, lui, en avait percé
l'esprit comme jamais nous ne saurons le faire.

L'organe qui l'intéresse plus que tout autre est un muscle que Galien et ses disciples ne considéraient pas comme
un muscle justement. Pour les anciennes autorités médicales, en effet, l'action du cœur semblait si particulière, que
cet organe ne pouvait être formé que de tissus uniques,
propres à lui. Jamais, durant 13 siècles rappelons-le, cette
hypothèse ne fut remise en question, jusqu'à ce que Léonard s'y oppose et souligne que ce muscle, comme les
autres, a besoin du mouvement et des vaisseaux sanguins
pour remplir ses fonctions. « Le cœur est un viscère formé
d'un muscle dense, nourri et stimulé par des artères et des
veines, comme les autres muscles », écrit-il, avant de dissé-

quer les artères coronaires et de les dessiner telles qu'elles paraissent à la base de l'aorte, ce grand tuyau qui jaillit depuis le ventricule gauche. Léonard ne se borne pas à identifier les artères coronaires, il dessine également les trois petites bosses, ou renflements, à l'orifice de l'aorte, au-dessus de chacun des feuillets de la valvule qui sépare l'aorte du ventricule gauche. Deux cents ans plus tard, on appellera ces trois renflements « sinus de Valsalva », du nom de l'anatomiste italien qui les « découvrira » au début du XVIIIe siècle, donc.

Léonard écarte une autre hypothèse de Galien, relative celle-là au rôle que le cœur tiendrait dans la production de ce qu'on nommait depuis la haute antiquité la chaleur infuse, ou animale, du corps. On croyait jusque-là que cette chaleur était produite par une énergie spirituelle ayant sa source dans le ventricule gauche. Évidemment, pour un esprit aussi mécaniste que celui de Léonard, une semblable explication, par trop spirituelle, était irrecevable, bien que la notion de chaleur infuse fût de celles qu'on acceptait d'emblée à l'époque, au point où Léonard ne pouvait en faire abstraction. Aussi, il admet qu'elle existe et provient de l'intérieur du cœur, mais il s'éloigne de Galien en affirmant que la chaleur en question est consécutive au frottement et au passage du sang dans les diverses valvules et cavités de l'organe. Pour étayer ses dires, il rappelle que le cœur bat plus vite lorsque le patient est fiévreux. Contre son habitude, il met la charrue devant les bœufs et déclare que des contractions plus nombreuses doivent forcément accélérer la circulation et multiplier les frottements du sang sur les parois, ce qui expliquerait la hausse de température. Nous savons aujourd'hui que la chaleur naturelle vient de l'énergie engendrée par des milliards de réactions chimiques qui se produisent en nous à chaque instant (phénomène régulé par le siège de la température en un point du cerveau); il est entendu que Léonard ne pouvait concevoir une telle possibilité, surtout quand on sait que la chimie était à l'époque une science fort rudimentaire, à peine plus développée que celle des alchimistes. Les connaissances technologiques nécessaires pour démontrer, ou même supposer, une chose pareille sont si fines, elles s'enrichiront dans un avenir si lointain, que l'imagination la plus débridée, la plus audacieuse — celle de Léonard de Vinci — était incapable d'en forger l'idée.

Les objections de Léonard aux thèses de Galien transmises par Avicenne et Mondino ne concernent pas juste le cœur ou la musculature, il s'en faut. Les anciennes sommités médicales pensaient par exemple que le cœur était formé de deux ventricules, vers lesquels le sang refluait depuis le corps et depuis les poumons respectivement. On croyait en outre que ces derniers étaient surmontés de petits appendices en forme d'oreille, qui recueillaient le surplus de sang et d'air inhalé dans l'organisme. Léonard note que le cœur n'a pas deux, mais bien quatre cavités : un ventricule gauche et droit, une oreillette gauche et droite (qu'il nomme ventricules supérieurs), au-dessus des ventricules donc et qui recueillent tous, à point nommé, le sang qui reflue. Il démontre également l'existence des muscles papillaires, situés dans les ventricules, où de petites fibres, appelées *chordæ tendinæ* (qu'il découvre aussi) s'étirent vers les feuillets supérieurs des valves et aident à contrôler leur mouvement. Après avoir découvert les oreillettes, il explique que leur contraction pousse le sang dans les ventricules, ce qui, pour l'essentiel, est tout à fait exact. Mais il croit aussi que les ventricules renvoient à leur tour le sang vers le haut, avant de se refermer, et que ces multiples passages réchauffent le sang qui va ensuite rejoindre les autres parties du corps par les veines et les artères.

En considérant les choses de cette manière, il reconnaît implicitement la doctrine de Galien, selon laquelle le sang, par les artères et les veines, se rend à la périphérie et, lorsqu'il s'y trouve, est consommé par les tissus qui s'en nourrissent, ce qui nécessite une régénération continuelle du sang. C'est ainsi qu'en demeurant à certains égards un homme de son temps, Léonard ne parvient pas à distinguer le principe de la circulation sanguine, qui sera expliqué en 1628 par William Harvey.

L'une des observations les plus célèbres effectuées par Léonard est celle qui regarde la contraction des ventricules.

À l'époque, en Toscane, on abattait les porcs en les couchant sur le dos, en les attachant à une large planche, puis, avec l'aide d'un instrument en forme de vilebrequin, on perçait la paroi abdominale jusqu'au cœur, de sorte que la bête était rapidement saignée à mort. Mais le cœur, avant de s'arrêter, battait encore un moment et Léonard profita maintes fois de l'occasion qui s'offrait à lui pour observer l'action des ventricules. D'abord, il note avec soin les mouvements réguliers que fait le manche du vilebrequin avant que la bête ne meure et il conclut, avec raison, que le ventricule rétrécit durant les contractions comme n'importe quel autre muscle. Aucun document ne prouve que cette observation ait été faite avant lui. Mais il ne s'en tient pas à cela ; Léonard constate en outre que la pulsation simultanée dans les artères est causée par cette même contraction du ventricule, autrement dit il établit un rapport entre les deux phénomènes, ce que ses contemporains n'avaient pas observé. Il constate aussi que la pulsation, la contraction des ventricules, le battement de l'extrémité supérieure du cœur contre la poitrine et l'émission de sang dans l'aorte se produisent simultanément, observation qui va bien au-delà de tout ce que les médecins enseignaient en son temps, eux qui n'établissaient aucune relation entre ces nombreux phénomènes. Enfin, il est intéressant de noter que la technique consistant à étudier le mouvement cardiaque en introduisant une sonde de métal dans la poitrine sera redécouverte à la fin du xixᵉ siècle ; d'éminents cardiologues anglais et allemands la jugeront fort utile et précise pour mener à bien leurs expériences.

De toutes les observations faites par Léonard en anatomie et physiologie du cœur, il en est deux qui sont carrément inouïes. La première s'intéresse à la fonction des sinus de Valsalva. Jusqu'au début du xxᵉ siècle, tous les chercheurs en cardiologie s'entendaient pour affirmer que la valvule entre le cœur et l'aorte était passive, à l'instar de celle qu'on retrouve dans n'importe quelle pompe à eau. On pensait donc qu'en se contractant le cœur poussait le sang vers le haut, forçant la valvule à s'ouvrir, ce qui permettait au sang de monter dans l'aorte, et ensuite, lorsque la contraction se desserrait, la valvule se refermait automatiquement sous le poids du sang. Cela semblait une explication logique du fonctionnement hydraulique de l'organe, explication qui avait en outre l'avantage d'être toute simple, qualité qu'on attribuait depuis longtemps au sens artistique de la nature.

Mais en 1912, on découvrit que la dynamique du cœur n'est pas si simple qu'on voulait le croire. On réussit même à démontrer que la fermeture de la valvule se fait par étapes, qu'elle est progressive en somme, et que le brusque changement de pression n'explique pas tout. Puis il fallut attendre quelques décennies encore, jusqu'à ce que les techniques de recherche soient assez avancées pour voir le phénomène se produire et en étudier le déroulement. C'est au cours des années 1960 que des méthodes de coloration et de radiographie sur film furent mises au point, lesquelles permirent de suivre le courant sanguin avec une parfaite précision. On fut alors en mesure de prouver qu'une partie du sang propulsé dans l'aorte monte dans les sinus de Valsalva, tourne là sur lui-même, exerçant du même coup une pression sur la surface antérieure de la valvule et l'obligeant à amorcer le processus de fermeture avant que le ventricule n'ait fini de se contracter. Bien entendu, on estimait qu'il était impossible de découvrir un phénomène si mystérieux sans ces nouvelles technologies sophistiquées.

C'est du moins ce qu'on croyait. Car Léonard de Vinci fit une démonstration analogue dans les toutes premières années du xvie siècle. Ainsi, pour préparer son expérience, il confectionne un modèle de l'aorte en verre, sans oublier d'y inclure les sinus de Valsalva, et il adapte une valvule de porc ou de bœuf. Il ajuste ensuite son modèle à la partie supérieure d'un cœur de bœuf, de façon à reproduire fidèlement les caractéristiques anatomiques qu'on trouve chez l'homme. Enfin, quatre siècles et demi avant l'invention des rayons X, il décrit la méthode ingénieuse qu'il emploie pour suivre le parcours du sang. «Mélange à l'eau qui se trouve là des particules de papyrus ou de millet, afin de mieux suivre le mouvement de l'eau à mesure qu'elle se déplace.» Son texte et ses illustrations montrent clairement le mécanisme d'ouverture et de fermeture des trois feuillets qui forment la valvule aortique, y compris le fait que le processus de fermeture est causé par les remous de l'eau dans les sinus de Valsalva. À plusieurs reprises, il démontre aussi que cette fermeture est progressive. En d'autres mots, ses observations sont identiques à celles faites par plusieurs chercheurs dans une série d'études commencées en 1969. De plus, Léonard tire les mêmes conclusions que ces chercheurs, et cela en suivant tout bonnement la trajectoire empruntée par ses fragments de graines et de papier mêlés à l'eau. De toutes les surprises que le Vinci réservait à la postérité, celle-ci est peut-être la plus stupéfiante. Et qu'il ait réalisé cette expérience après 60 ans n'est pas moins surprenant.

La seconde observation que je qualifie d'inouïe procède davantage de l'intuition que de l'expérience proprement dite. Après avoir disséqué la dépouille du vieil homme mort soudainement, Léonard se demande pourquoi ses artères sont tordues et bouchées de la sorte. Cela le surprend d'autant plus qu'il les compare aux vaisseaux sanguins lisses et bien ouverts d'un enfant de deux ans qu'il autopsie peu de temps après. Alors il s'interroge : « Pourquoi les vaisseaux du vieil homme s'allongent-ils ? Pourquoi des vaisseaux, d'ordinaire droits, se courbent-ils de cette façon ? Pourquoi la membrane s'épaissit-elle au point d'obstruer le conduit et d'interrompre le mouvement du sang, entraînant la mort du vieil homme ? » Ses questions sont prémonitoires, comme le sont si souvent ses réponses. Léonard suppose que la paroi intérieure des vaisseaux s'épaissit, parce qu'elle absorbe la nourriture trop riche et trop abondante que le sang porte en lui. Inutile de rappeler qu'il formule cette proposition à une époque où l'existence du cholestérol est totalement inconnue et où on ignore tout à fait ce qui cause les maladies dues à l'alimentation trop riche des Occidentaux que nous sommes. En fait, les chercheurs se pencheront sur les causes de l'artériosclérose durant la seconde moitié du XXe siècle seulement et redécouvriront alors ce que le Florentin avait si justement déduit 450 ans plus tôt.

On ignore si l'allégation de Léonard selon laquelle le cœur se situe à mi-chemin entre le cerveau et les testicules était de nature philosophique ou strictement anatomique. Il est certain, en revanche, qu'il se pose longtemps la question de savoir si le battement du cœur est automatique ou stimulé par un nerf, le pneumogastrique en l'occurrence, qu'il a disséqué tout au long depuis le cerveau jusqu'à ses attaches au cœur. À un certain moment, Léonard dit de ce dernier « qu'il bat de lui-même et ne s'arrête jamais, sinon pour l'éternité ». Mais plus tard, il semble reconsidérer la question, car il glisse une note dans ses papiers, l'enjoignant d'étudier plus en profondeur la possibilité que le cœur soit stimulé par un nerf. Jamais il ne résoudra le problème, et il n'est pas surprenant que la réponse ait échappé aux chercheurs durant des siècles. Finalement, au cours des années 1890, des spécialistes anglais feront une série d'expériences qui prouveront de manière définitive ce qu'on appelle depuis lors la théorie myogénique, d'après laquelle les battements cardiaques sont actionnés par un mécanisme inhérent à l'organe.

Léonard mène la majeure partie de ses recherches sur le cœur durant la période qui va de 1508 à 1515, mais ses études sur les os et la musculature l'occupent pratiquement toute sa vie, du moins tout le temps qu'il tient des carnets. On en trouve des exemples dans le *Traité de la peinture*, tout comme dans les manuscrits conservés au château de Windsor. Les dessins qu'il fait de ces structures résument et montrent mieux que ceux des autres études la méthode qu'il emploie pour comprendre le fonctionnement du corps et son mouvement. Comme on l'a vu plus haut, il vise moins à dessiner tel organe ou tel membre de plusieurs points de vue qu'à le décrire en détail, c'est-à-dire en le détachant des tissus qui l'entourent, afin de le voir seul. Mais, dans d'autres dessins, il laisse suffisamment de tissus voisins pour qu'on mesure les rapports qui s'établissent entre eux. Léonard procède à de nouvelles dissections aussi souvent qu'il le faut pour améliorer ses croquis et dans l'espoir qu'ils donnent une image complète tant de l'anatomie de ladite structure que de sa fonction. Étant donné qu'il n'a pas l'occasion de disséquer des cadavres aussi souvent qu'il le voudrait, il est limité par ce qu'on lui offre. Et comme il est plus facile d'obtenir un bras ou une jambe, ses études des membres sont plus précises que celles portant sur les autres parties du corps. Dans l'extrait suivant, il s'adresse à un interlocuteur imaginaire qui préférerait assister à une autopsie plutôt que de voir ses dessins. Avant de le lire, rappelons-nous la description du cours d'anatomie, rapportée par Vésale dans le précédent chapitre.

> Et si tu disais qu'il vaut mieux voir une Anatomie plutôt que de regarder ces images, tu aurais raison s'il était possible de voir en un seul corps toutes les choses figurant sur ces images, ce que, malgré toute ton ingéniosité, tu ne verras point et dont tu n'auras aucune connaissance, sinon de quelques veines. Aussi, pour obtenir une juste connaissance de ces veines, j'ai déjà disséqué plus de dix corps humains, j'ai éliminé les parties voisines, supprimé les infimes particules de chair qui les entouraient, cela sans les faire saigner, à l'exception d'un insensible saignement des veines capillaires[1]. De plus, un seul corps ne suffisant pas pour mener de si longues études, il a fallu observer, l'un après l'autre, autant de corps qu'il était nécessaire pour avoir une entière connaissance de ces veines ; ce que j'ai fait [au moins] deux fois pour bien observer les différences.

---

1. Les microscopiques vaisseaux qu'on appelle les capillaires étaient inconnus à l'époque. Léonard, le premier, emploie ce mot pour désigner des veines si fines qu'on ne les distingue pas à l'œil nu.

L'étude des os et des muscles est la plus instructive aux yeux d'un homme qui désire avant tout comprendre les principes mécaniques qui assurent le fonctionnement du corps. Ainsi, en s'appuyant sur son principe de levier, Léonard observe les mouvements en estimant au départ qu'ils procèdent de la nécessité de maintenir l'équilibre autour d'un axe. Il analyse les changements qui se produisent, à cet égard, en mouvement, au repos et en diverses positions, puis tente d'établir les lignes de force qui garantissent la stabilité, quelle que soit la posture. Il note que le mouvement réciproque d'un ensemble de muscles et celui d'un autre ensemble, contraire au premier, jouent un rôle important dans le maintien de l'équilibre. À mesure que s'accroît sa passion pour la chose scientifique, notamment après 1508, il s'intéresse en particulier aux mécanismes du mouvement de chaque membre et de ses composantes.

Pour y arriver, il dessine tel os sur un ou plusieurs feuillets avant de faire un second croquis du même os, entouré cette fois d'un ou de plusieurs muscles. À l'occasion, il rattache ces muscles à l'articulation qu'ils actionnent. Il montre parfois un tendon, coupé de telle manière qu'on voie ce qu'il y a derrière lui ; ou encore, il ajoute d'autres muscles, indique de quelle façon telle extrémité bouge, selon qu'on exécute tel mouvement ; parfois il complète son dessin en montrant les lignes de force. Ainsi voit-on la même structure sous différents angles et exécutant divers mouvements. Les textes en regard sont généralement brefs ou inexistants. Pour Léonard, l'image dit tout.

Par ailleurs, notre homme s'intéresse vivement à la pronation et la supination de la main, c'est-à-dire aux mouvements qui se produisent lorsqu'on tourne la paume vers le ciel ou vers le sol. Non sans surprise, il découvre que le biceps ne sert pas juste à plier le coude, mais contribue également à tourner la paume vers le haut, en faisant pivoter sur elle-même l'extrémité supérieure du radius, le plus court des deux os de l'avant-bras. Il constate que ce dernier raccourcit quand la paume de la main est tournée vers le bas, car le radius et le cubitus alors se croisent. Il étudie donc la main et il est le premier à en décrire les os avec précision, après les avoir comparés à ceux du singe, aux ailes des oiseaux et à celles des chauves-souris. Son intérêt pour l'anatomie comparée est flagrant dans d'autres croquis où il établit des analogies entre les membres inférieurs de l'homme et les pattes du cheval et de l'ours. À propos du squelette, il démontre, le premier toujours, la double courbure de la colonne vertébrale, l'inclinaison du bassin, il donne le nombre exact des vertèbres. Puis il invente ce qu'on appelle aujourd'hui la « perspective éclatée », qui présente les éléments d'une articulation, ceux de l'épaule par exemple, séparés les uns des autres, afin de mieux expliquer les rapports qui existent entre eux.

Si ses études du cœur, du squelette et de la musculature sont vraiment étonnantes, celles portant sur l'appareil digestif se révèlent moins précises. Il n'empêche. Léonard est le premier qui décrit le gros intestin, l'intestin grêle, puis qui explique leur relation avec justesse. Outre cela, il coule de la cire fondue dans certains vaisseaux et parvient à exécuter des dessins très fiables montrant les artères du foie, les conduits que la bile emprunte, la rate, l'estomac et diverses veines alimentant l'une ou l'autre de ces structures. Il semble que les sphincters, les *portinarii* comme il les appelle, aient retenu sa curiosité d'une façon particulière, notamment le sphincter anal. Résolu à percer le mystérieux mécanisme qui régit la contraction de l'anus, il repère cinq muscles autour de l'orifice, lesquels, pense-t-il, agissent ensemble pour clore le conduit et resserrer la peau alentour. Bien que le nombre de muscles soit inexact et que Léonard ne parvienne pas à expliquer leur dynamique, on peut dire que son hypothèse initiale va dans le bon sens, surtout quand on sait que personne, à son époque, n'aurait songé à étudier un problème aussi abscons. Dans tous ces domaines, il n'est pas plus éloigné de la solution que ne le seront tous les anatomistes jusqu'au milieu du xxe siècle environ.

Par respect pour la vie — il est d'ailleurs végétarien pour la même raison —, Léonard refuse de disséquer des animaux vivants. Ainsi n'a-t-il jamais l'occasion d'observer le phénomène physiologique qu'on nomme le péristaltisme, et peut-être même n'en a-t-il pas connaissance. (Il y a une exception cependant. Un jour, Léonard fait une expérience au cours de laquelle il neutralise le centre nerveux de la tête d'une grenouille pour étudier ses réactions.) Compte tenu de sa fascination pour le mouvement, il aurait sans doute eu beaucoup à dire sur les contractions de l'œsophage et de l'intestin qui, tout en poussant le bol alimentaire, absorbent les substances nutritives, jusqu'à l'élimination des éléments inutiles à l'organisme. Étant incapable d'expliquer le phénomène de la digestion dans les conduits intestinaux, il attribue le déplacement des aliments à l'action propulsive et combinée des gaz, à celle des muscles abdominaux et du diaphragme. Certes il sait qu'il existe des muscles sur la paroi de l'intestin, mais il pense que ceux-ci servent à empêcher qu'une rupture ne se produise lorsque la pression des gaz est trop forte. Afin d'expliquer pourquoi le bol alimentaire descend vers le rectum au lieu de remonter, il suppose que les nombreuses circonvolutions de l'intestin grêle et du côlon agissent comme des valves, empêchant du même coup toute remontée. À sa décharge, on se souviendra que les tissus intestinaux sont de ceux qui se putréfient le plus vite, ce qui explique qu'il n'ait pu étudier ces phénomènes avec toute l'attention et le soin qui le caractérisent d'ordinaire. Le grand Léonard a beau prévenir les candidats disséqueurs contre un « dégoût

de l'estomac», il existe tout de même des seuils de tolérance qu'il ne saurait franchir.

Il décrit en détail cependant le phénomène de la déglu-
tition, en particulier le fait que le bol alimentaire évite la
trachée avant de pénétrer dans l'œsophage. Et il fait une
autre observation qui avait échappé à ses prédécesseurs.
Léonard découvre en effet l'existence de l'appendice et le
dessine fort bien. Mais on ne s'étonnera pas d'apprendre
qu'il en saisit mal la fonction, étant donné que cette dernière
demeure en partie mystérieuse pour nous; il suppose donc
que l'appendice est une sorte d'«impasse» très élastique,
permettant d'atténuer la pression des gaz dans le côlon.

Au chapitre des mystères, il n'en est pas de plus grand
ni de plus obscur que celui de la conception et de la naissance, surtout en un siècle antérieur à la fameuse révolution
scientifique. Et ce mystère est encore plus opaque pour
un être qui, semble-t-il, réprime toute pulsion sexuelle, un
homme dont la vie entière peut se comparer à une recherche continuelle de la mère idéalisée (dont l'amour a enso-
leillé l'enfance), un homme, enfin, qui éprouve sans nul
doute une insatiable curiosité pour chacune des étapes de
la reproduction, depuis le désir des partenaires jusqu'à
l'enfantement.

Léonard parle assez ouvertement de la répulsion que
lui inspire le coït, mais il utilise pour ce faire un langage
ambigu, qui n'étonne guère venant d'un homme peu porté

sur la sexualité. « L'acte d'accouplement, écrit-il, et les membres qui y sont employés ont une laideur telle que si ce n'étaient la beauté des visages et les ornements des acteurs, et la pulsion continue, la nature perdrait l'espèce humaine. » Pourtant, une fois de plus, sa curiosité l'emporte sur le dégoût. Léonard exprime ses désirs brimés de plusieurs manières que les psychologues modernes n'hésitent pas à réunir sous le vocable de sublimation. Dans le cas de la célèbre *Anatomie du coït*, la représentation consciente de l'acte sexuel est, d'après Kenneth Clark, si minutieuse, si appliquée, que notre peintre y trahit « le détachement étrange avec lequel il considérait ce moment crucial de la vie d'un homme ordinaire ». Plusieurs personnes sont parfaitement d'accord avec cette affirmation, d'autres estiment au contraire que le dessin en question est si peu sublime ou sublimé, qu'il leur paraît salace et leur rappelle plutôt ces croquis que des collégiens hilares s'échangent sous les pupitres. Voilà très précisément le genre de désaccord qui nous empêche — moi y compris — de porter des jugements définitifs sur Léonard de Vinci ou de formuler une quelconque certitude à son sujet. Quelle que soit l'hypothèse, si juste qu'elle puisse paraître, il subsiste toujours un doute assez solide nous empêchant d'affirmer ceci ou cela de manière catégorique.

Durant les mois où il collabore avec Marcantonio della Torre, Léonard annonce que son grand ouvrage d'anatomie comprendra une description exhaustive de toutes les phases de la procréation.

> Cet ouvrage devra commencer par la conception de l'homme et décrire la nature de la matrice, comment le fœtus y vit et s'y développe, jusqu'à quel stade de sa croissance il y demeure, comment il prend vie et s'alimente. Je décrirai aussi son développement, les étapes de ce développement et le temps nécessaire pour passer d'une phase à l'autre. [Je dirai] ce qui le force à sortir du corps de la mère et pour quelles raisons, parfois, il en sort prématurément. Ensuite je décrirai quels membres, après la naissance du garçon, grandissent plus que les autres, et je déterminerai quelles sont les proportions d'un enfant de un an. Puis je décrirai l'homme et la femme adultes, avec leurs proportions, et la nature de leur constitution respective, leur teint, leur physionomie. Puis je dirai qu'ils sont composés de veines, de tendons, de muscles et d'os. [...] Et tu feras trois [dessins sous différents angles] pour la femme qui recèle un grand mystère, c'est-à-dire la matrice et le fœtus.

C'est plus qu'un plan de livre, c'est un manifeste! Derrière ce ton ferme se profile tout le dessein de Léonard, qui consiste, on l'a vu, à étudier en profondeur ce que sont l'homme, la vie et la santé. On y retrouve aussi certains problèmes sur lesquels les spécialistes modernes butent toujours, le plus déroutant étant celui des forces qui poussent le nouveau-né à «sortir du corps de la mère». Mais avant de formuler cet ultime dessein, Léonard avait déjà entrepris ses recherches dans une foule de domaines, comme son *Traité de la peinture* nous le prouve.

L'un de ces domaines est illustré justement par la célèbre *Anatomie du coït*, à laquelle sont associés d'autres croquis et feuillets, ces derniers au nombre de quatre. À
l'époque où il les exécute, Léonard est encore influencé par
les aristotéliciens, notamment par les théories de Galien,
transmises par Avicenne et Mondino. En fait, ce dessin
s'accorde en grande partie avec les formulations du *Timée*
de Platon. Il est possible, en tout cas, d'attribuer nombre
d'erreurs anatomiques présentes ici à l'une ou l'autre de
ces sources. De ce croquis si célèbre, Kenneth Keele dit que,
sur le plan anatomique, il est le moins juste et le moins
précis que Léonard ait jamais exécuté.

L'*Anatomie du coït* date probablement de 1497, bien
avant que le Vinci ne se lance dans les études approfondies
qui caractérisent ses travaux ultérieurs. Il s'agit d'une
coupe de profil, montrant un homme et une femme durant l'accouplement. Sur les tout premiers croquis, le pénis
plonge si avant qu'il pénètre dans l'utérus, mais dans la
dernière version, c'est à peine s'il en touche le col. Deux
canaux traversent le membre viril, l'un figurant l'urètre, et
l'autre rattaché à la colonne vertébrale, ce qui s'accorde
avec ce qu'on croyait depuis l'Antiquité, à savoir que le
sperme était produit par la moelle épinière et le sang. Un
vaisseau sanguin rattache d'ailleurs le cœur aux testicules.
La matrice, pour sa part, semble divisée en plusieurs sec-
tions; en cela, notre peintre se conforme à l'hypothèse

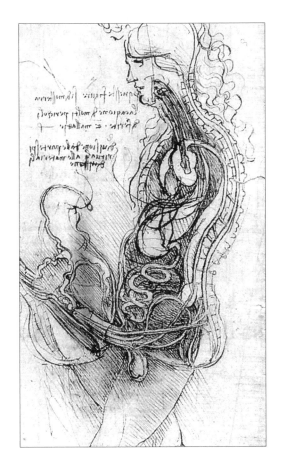

Anatomie du coït.

grecque selon laquelle la matrice comporte sept chambres, notion que Léonard rejettera plus tard. Les historiens en embryologie font remarquer la présence d'un autre vaisseau, reliant l'utérus au mamelon. Ainsi, au début de ses recherches, Léonard ne rejetait pas encore la doctrine enseignant que le sang des menstrues, durant la grossesse et l'allaitement, remontait dans les seins et s'y transformait en un lait dont le fœtus se nourrissait.

Mais au rebours des théories de l'époque expliquant l'érection du pénis par la présence d'air et la pression de cet air à l'intérieur de l'organe, Léonard, se rappelant ses observations sur des pendus et la couleur du gland, propose une nouvelle hypothèse. « Lorsque le membre viril est dur, il est à la fois ferme et long, dense et lourd ; autrement, il est étroit, court et mou, c'est-à-dire flasque et faible. Il ne faut point attribuer cela à un surplus de chair ou de vent, mais bien à du sang venu des artères. [...] Aussi, on constate que le pénis rigide a le gland rouge, ce qui indique un apport de sang ; lorsqu'il n'est point rigide, le gland a plutôt une teinte blanchâtre. » Quant au pouvoir du pénis à pénétrer les organes de l'autre malgré la résistance, Léonard l'explique par la présence de l'os pubis, ce qui l'amène à écrire : « Sans cet os, le pénis reculerait en rencontrant de la résistance et pourrait pénétrer plus profondément dans le corps de celui qui l'active que dans celui qui l'accueille. »

Les réflexions de Léonard sur le pénis sont intéressantes en soi, mais celles portant sur l'envie d'exhiber son organe se révèlent plus curieuses encore ; elles tranchent absolument sur cette autre remarque relative à la répulsion rapportée plus haut.

> À propos du pénis. Cela traite avec l'intelligence humaine et a soi-même, parfois, une intelligence propre ; quoique la volonté de l'homme désire la stimuler, elle demeure obstinée et suit sa propre voie, et elle bouge parfois d'elle-même, sans autorisation ou que l'on y pense ; qu'on soit endormi ou éveillé, elle fait ce qu'elle désire. Souvent l'homme est endormi, et elle est éveillée ; souvent l'homme est éveillé et elle est endormie ; souvent l'homme la désirerait en action et elle ne le désire pas ; souvent elle le désire et l'homme l'interdit. C'est pourquoi il semble que cette créature a souvent une vie et une intelligence séparées de l'homme, et il se trouve que l'homme a tort d'avoir honte de lui donner un nom ou de l'exhiber ; ce qu'il cherche à couvrir et cacher, il devrait l'exposer avec solennité comme un officiant.

Autrement dit, il faudrait se montrer fier de son membre. À la lecture d'une réflexion comme celle-là, il est difficile d'écarter la proposition selon laquelle Léonard éprouvait de la répulsion pour les seuls organes féminins, ce qui ne surprend guère, du reste, lorsqu'on connaît les hypothèses de Freud et de tant d'autres se rapportant à la sexualité du Vinci. Mais les questions de cet ordre ne sont jamais simples, surtout quand on veut percer à jour la vie

intérieure d'un être à ce point riche et complexe. Il faut se
rappeler l'observation de Walter Pater concernant l'ambiguïté intrinsèque de Léonard, ambiguïté qui s'exprime
dans son art par un « mélange de dégoût et de ravissement,
né du spectacle de la laideur et de la beauté », sans oublier
la « fascination sous-jacente pour la corruption [qui] affleure, pour imprégner la beauté exquise et parfaite que
crée chaque touche de son pinceau ». En fait, rien n'illustre
mieux cette ambiguïté que la passion de Léonard pour
l'étude de l'anatomie et du phénomène de la reproduction,
quand on connaît les interdits qui existaient en son temps
à l'endroit de ces disciplines.

Comparée au réalisme cru qui caractérise l'*Anatomie du
coït*, l'illustration que Léonard exécute plus tard et qui
montre un fœtus de cinq mois dans le ventre de sa mère est
ni plus ni moins une œuvre de beauté, ou encore, comme
la qualifiait dernièrement un historien d'art d'Oxford, « un
miracle de représentation fervente ». Ce dessin est en vérité
un chef-d'œuvre sur le plan artistique et, compte tenu de
ce qu'on savait alors en embryologie, on peut dire qu'il
s'agit aussi d'un chef-d'œuvre d'aperception scientifique
en même temps. Grâce à son habileté extraordinaire à disséquer, à observer, puis à interpréter ce qu'il voit, Léonard
constate avec une intelligence non moins extraordinaire
qu'il n'existe pas de contact direct entre les vaisseaux sanguins de la mère et ceux du placenta. On imagine quelle

fut, en 1784, la surprise de William Hunter en découvrant
que les manuscrits conservés dans ce fameux coffre depuis
150 ans comprenaient des dessins décrivant les vaisseaux
du placenta, ce qu'il se préparait lui-même à démontrer,
pour la première fois, au terme de ses expériences. Quel
choc ce dut être pour lui de constater qu'un simple artiste
« illettré », n'ayant jamais suivi un seul cours de médecine,
l'avait devancé de presque trois siècles.

En plus de la grande instruction qui était la sienne et
des découvertes effectuées depuis la mort de Léonard,
Hunter avait sur ce dernier l'avantage considérable de pouvoir étudier le corps humain tout à loisir. Car ne l'oublions
pas : bien qu'il soit à peu près certain que Léonard a autop-
sié un fœtus vers la fin de sa vie, ses connaissances en
embryologie procèdent, pour l'essentiel, des dissections
qu'il a faites sur des vaches, des moutons et des taureaux.
Cela ne l'empêche pas de distinguer les diverses membranes entourant le fœtus et d'être le premier à employer la
technique qui consiste à montrer ces membranes dans des
dessins qui en illustrent les différentes couches, retirées
l'une après l'autre, comme des pelures d'oignon.

En ce domaine, les autorités médicales croyaient que les
caractéristiques propres à un individu provenaient toutes du
père ; certains pensaient qu'elles venaient de la mère, mais les
uns comme les autres avaient tendance à croire que l'individu existait déjà dans la semence de l'un ou l'autre des

parents. À cela, Léonard rétorque sans détour : « La semence de la mère a, sur l'embryon, une influence égale à celle du père. » Pour étayer son hypothèse selon laquelle ovaires et testicules ont une fonction similaire et contribuent dans une semblable mesure à la formation du fœtus, il démontre que le sang alimente de façon analogue les testicules et les ovaires. Après avoir écarté la formulation grecque prônant que les cellules du sperme viennent de la moelle épinière, Léonard formule l'hypothèse juste selon laquelle le sperme, produit par les testicules, passe dans de petits réservoirs — les vésicules séminales — où il demeure jusqu'à l'éjaculation. Il montre également que les conduits empruntés par le sperme avant l'éjaculation mènent dans l'urètre. Enfin, il rejette la notion de matrice à sept chambres, ses dissections lui ayant prouvé qu'elle n'en possède qu'une seule.

Léonard ne se contente pas de faire des observations de nature qualitative sur le développement du fœtus ; il mesure ce dernier aussi souvent qu'il le peut, il détermine les proportions de l'enfant dans le ventre de sa mère et après sa naissance. En fait, il est le premier à prendre de semblables mesures, pratique qui ne deviendra courante que des siècles plus tard. C'est en songeant à ces méthodes et à la précision de si nombreuses études léonardiennes que Joseph Needham, le plus grand historien en ce domaine, attribue à Léonard le titre de « père de l'embryologie, considérée comme une science exacte ».

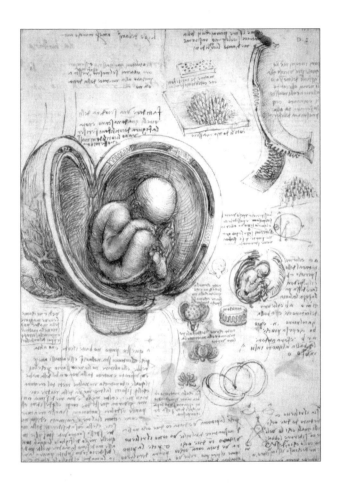

Dessin d'un fœtus de cinq mois dans la matrice,
par Léonard de Vinci.

Dans une biographie comme celle-ci, où il convient de faire bref et d'éviter autant que possible les termes trop techniques, il est malaisé de décrire l'ampleur, et tout particulièrement la profondeur, des découvertes anatomiques effectuées par Léonard de Vinci. Sachons qu'il fut le premier à faire des dissections d'une telle qualité. Elles sont si fines, si précises, elles contiennent tant de détails, qu'en cette matière (comme en bien d'autres où il exerça ses talents uniques) seuls les spécialistes peuvent vraiment évaluer la supériorité de ses observations. On a écrit de volumineux ouvrages sur Léonard anatomiste, et on en publiera sans doute plusieurs autres dans l'avenir. Mais quand bien même les auteurs se montrent détachés, objectifs au possible, et malgré l'empressement de certains d'entre eux à noter les erreurs que Léonard a pu commettre lorsqu'il subissait encore l'influence des Anciens, on sort invariablement subjugué de la lecture de ces ouvrages, subjugué, oui, de voir qu'un tel homme, à cette époque précise de l'histoire, a été capable de comprendre et d'analyser un mécanisme aussi complexe que celui du corps humain.

Au début du XXe siècle, un historien de la médecine, H. Hopstock, d'origine norvégienne, résuma les prouesses réalisées par Léonard en anatomie d'une manière si parfaite qu'aucune autre de mes sources n'a su faire mieux, pas même O'Malley et Saunders. Pas même Kenneth Keele.

C'est ainsi que dans la monographie de Hopstock publiée
en 1921, on peut lire les phrases suivantes :

> Personne avant lui, que je sache, ne fit autant de dissections
> du corps humain, ni ne sut si bien interpréter ses découvertes.
> Les observations de l'utérus faites par Léonard furent de loin
> plus nettes et précises que celles effectuées par quiconque
> avant lui. Il fut le premier qui décrivit correctement le sque-
> lette humain — le thorax, le crâne, ses divers sinus et cavités,
> les os des membres, la colonne vertébrale, la juste inclinaison
> du bassin et les déclivités de l'épine dorsale. Le premier, il
> dessina correctement presque tous les muscles du corps.
>
> Personne avant n'avait montré le système nerveux et les
> vaisseaux sanguins aussi correctement que lui ; selon toute
> vraisemblance, il fut le premier qui solidifia certains tissus
> pour en étudier les vaisseaux. Personne avant lui ne connais-
> sait le cœur ni ne l'avait dessiné comme il l'a fait.
>
> Il fut le premier qui confectionna des moules des ventri-
> cules cérébraux. Le premier qui dessina des séries de coupes
> transversales et autres. Personne avant lui, et pratiquement
> personne depuis, n'a offert une description si merveilleuse de
> l'anatomie externe et personne n'avait donné une telle profu-
> sion de détails anatomiques, ni fourni autant de renseigne-
> ments exacts en anatomie topographique et comparée.

Hopstock aurait pu ajouter que personne avant Léonard et depuis sa disparition n'a donné « une telle profu-
sion de détails anatomiques » en manifestant autant
d'égards pour la vie elle-même, que ce soit celle de l'être
humain ou celle des animaux. L'univers, le monde, la terre,

chacune des choses vivantes, entraient dans le champ de
ses compétences, et il voyait des relations entre tous les
éléments. Dans l'ensemble de ses études, on sent non pas
juste la volonté de connaître, mais aussi la volonté que
cette connaissance — toutes ces connaissances — profite
un jour à l'humanité. Ses réticences vis-à-vis de la dissection sont vaincues par la certitude qu'il sert un but plus
élevé, supérieur, et que ce but ne peut être que bon. Saura-
t-on jamais pourquoi Léonard, qui cherchait des réponses
dans les choses observables et perceptibles, choisit un jour
de rendre hommage à la nature en saluant le Créateur ? Il
écrit :

> Ô, toi, explorateur de notre machine, tu ne dois pas regretter
> de transmettre le savoir en utilisant pour cela le corps ina-
> nimé de ton prochain ; réjouis-toi au contraire que notre
> Créateur ait conféré de l'intelligence à un instrument si parfait.

BIBLIOGRAPHIE

NOTRE LECTEUR NE SERA PAS SURPRIS d'apprendre que les rares ouvrages vraiment essentiels sur Léonard comprennent peu de renseignements sûrs et vérifiables. Il s'agit en fait de trois textes relativement brefs, dans lesquels les auteurs abordent la légende du Florentin d'une manière qui leur est toute personnelle. Il y a d'abord *La vie des meilleurs peintres, sculpteurs et architectes*, de Giorgio Vasari, publiée en 1568 (édition préparée par André Chastel, Berger-Levrault, Paris, 1983), les *Essais sur l'art de la Renaissance*, de Walter Pater (Klincksieck, Paris, 1985) et de *Leonardo da Vinci: An Account of His Development as an Artist*, de Kenneth Clark (Cambridge University Press, 1952; il existe un *Léonard de Vinci*, par Kenneth Clark, dans le Livre de poche, Série Art). Chacun de ces auteurs, très représentatif de son époque, a senti que la meilleure façon de donner une bonne idée de l'envergure de Léonard était encore de plonger carrément dans sa pensée, de se tenir sous son charme et, à partir de là, de laisser l'interprétation prendre forme.

Après avoir lu ces grands écrivains qui ont bien jalonné les études léonardiennes, il est indispensable de prendre connaissance des événements marquants et plus terre à terre, rapportés par des essayistes objectifs. Pour cela, nous recommandons vivement trois autres ouvrages, dont deux peuvent être considérés comme des récits biographiques. Ils contiennent peu d'interprétations du type de celles qu'on trouve chez Clark et Pater, mais une foule de renseignements et de commentaires pertinents sur les faits eux-mêmes. Le premier est celui d'Edward McCurdy, souvent cité, intitulé *The Mind of Leonardo da Vinci* (Jonathan Cape, Londres, 1928), qui, depuis sa publication, est fort utile à ceux qui désirent connaître le contexte historique dans lequel évoluait Léonard. Le deuxième est l'essai d'Ivor Hart, *The World of Leonardo da Vinci* (MacDonald, Londres, 1961), qui s'intéresse d'abord aux aspects de la vie du maître touchant à l'ingénierie et à tout ce qui relève du génie mécanique.

Le troisième ouvrage est une somme gigantesque (dans tous les sens du terme), intitulée *Leonardo da Vinci* (Barnes and Noble, New York, 1997), et réalisée par de nombreux experts italiens, chacun traitant du domaine dont il est spécialiste. Cet ouvrage, publié d'abord par l'Institut géographique d'Agostini, en 1938, devait accompagner la tenue d'une exposition, à Milan, regroupant toutes les études léonardiennes, avec des maquettes de ses machines, ses nombreux plans et ses manuscrits. En raison de la guerre, l'exposition n'eut pas lieu, mais sa préparation permit néanmoins que cet ouvrage somptueux voie le jour. Il réunit des textes qui font autorité et il expose tous les points de vue imaginables. Sur le plan éditorial, il s'agit ni plus ni moins d'une prouesse, car la qualité des reproductions est exceptionnelle. L'une de ses précieuses caractéristiques est la présence d'une bibliographie exhaustive, faisant état d'une foule de livres parus avant 1938, que les lecteurs d'aujourd'hui auraient bien du mal à reconstituer si elle n'existait pas ici.

Dans le même esprit, il existe un autre volume, dirigé celui-là par Ladislao Reti et publié sous le titre *Léonard de Vinci, l'humaniste, l'artiste, l'inventeur* (Robert Laffont, Paris, 1974), dans lequel Reti rassemble des spécialistes qui présentent et décrivent les deux Codex de Madrid. Il s'agit, là aussi, d'une réussite éditoriale où se conjuguent érudition, plaisirs littéraire et visuel.

Il n'est pas une année sans qu'on publie plusieurs nouvelles biographies, essais ou articles de fond ayant pour thème notre grand artiste. Il y en eut plus d'une centaine au cours des 15 dernières années seulement. Parmi les plus

208208

SHERWIN B. NULAND

ner, *Inventing Leonardo* (University of California Press,
1992), le *Léonard de Vinci* de Serge Bramly (J.-C. Lattès,
Paris, 1988) et l'étude très particulière de Roger Masters,
*Fortune Is a River : Leonardo da Vinci and Niccolò Machia-
velli's Magnificent Dream to Change the Course of Florentine
History* (Free Press, New York, 1998).

Mais la meilleure édition des écrits de Léonard est, de
loin, celle qui reproduit les planches anatomiques conser-
vées au château de Windsor, édition préparée par Kenneth
Keele et Carlo Pedretti, historien d'art à l'université de
Californie à Los Angeles, et parue chez Harcourt, Brace
Jovanovich en 1979. Cet ouvrage, qui se présente en trois
volumes, intitulé *Leonardo da Vinci : Corpus of the Anato-
mical Studies in the Collection of Her Majesty the Queen at
Windsor Castle*, comprend deux tomes reproduisant les
pages manuscrites et un coffret réunissant des dessins non
reliés, pour en faciliter la consultation.

Dans le domaine des sciences et tout particulièrement
de l'anatomie, les contributions de Kenneth Keele aux études léonardiennes sont pour le moins considérables. Signa-
lons son *Leonardo da Vinci on the Movement of the Heart
and Blood* (Lippincott, Londres, 1952), le *Leonardo da Vinci
and the Art of Science* (Priory Press, Hore, Sussex, 1977) et
son *Leonardo da Vinci's Elements of the Science of Man*
(Academic Press, New York, 1983). Nous avons puisé allé-

grement dans l'un ou l'autre de ces ouvrages, de même que dans de nombreux articles de Keele, pour rédiger la présente biographie.

Au chapitre des études anatomiques, il existe un riche ensemble d'ouvrages, certains brefs, d'autres très exhaustifs. S'il fallait n'en nommer qu'un, nous signalerions celui de J. Playfair McMurrich, *Leonardo da Vinci the Anatomist*, publié par la Carnegie Institution, en 1930. Mais il y en a d'autres, bien célèbres, comme le *Leonardo da Vinci on the Human Body*, par Charles O'Malley et J. B. de C. M. Saunders (Henry Schuman, New York, 1952) et *Leonard the Anatomist* d'Elmer Belt (University of Kansas Press, 1955).

Enfin, deux monographies ont fort influencé notre manière de voir les choses, mais qu'on ne retrouve pas sur l'Internet. Toutes deux sont remplies d'observations très judicieuses, la première sur l'homme, la seconde sur ses études anatomiques. Il s'agit de « Leonardo da Vinci », conférence de C. J. Holmes, directeur de la National Gallery, prononcée dans le cadre de la British Academy's Fourth Annual Lecture on a Mastermind (Quatrième colloque annuel de la British Academy sur un maître de l'art), en 1922. La seconde, intitulée « Leonardo as Anatomist », est un essai inclus dans l'ouvrage de Charles Singer, *Studies in the History and Method of Science*, paru en 1921. Cet essai est signé par un Norvégien, H. Hopstock, si mal connu de nos jours que nous n'avons pu retrouver son prénom, même en utilisant les moyens de recherche informatiques. Quel que soit ce prénom — Haakon ou Hajo —, Hopstock est l'un de ces spécialistes qui, grâce à son travail, nous aide à mesurer les immenses possibililités de l'esprit humain, en étudiant un homme dont le nom est devenu synonyme de génie.

[Pour sa part, le traducteur s'est servi de la biographie de Serge Bramly dont il est question plus haut. Nombre de citations sont tirées de cet excellent ouvrage.]

TABLE DES MATIÈRES